Construindo o céu em casa

Josué Gonçalves

Construindo o céu em casa

Seja feita a vontade de Deus,
assim no lar como no céu

THOMAS NELSON
BRASIL®

Rio de Janeiro – 2023

Publisher	*Omar de Souza*
Editor Responsável	*Samuel Coto*
Produção	*Adriana Torres e Thalita Ramalho*
Produção Editorial	*Rachel Rimas*
Revisão	*Daniel Borges* e *Pedro Staite*
Capa	*Douglas Lucas*
Diagramação e Projeto Gráfico	*André Guimarães de Souza*

As citações bíblicas foram retiradas da Nova Versão Internacional (NVI), salvo quando especificado. As marcadas como ARA referem-se à versão Almeida Revista e Atualizada; as indicadas como ARC pertencem à Almeida Revista e Corrigida; citações com a indicação BV foram retiradas da Bíblia Viva; e as referências com a marca NTLH são da Nova Tradução na Linguagem de Hoje.

CIP-BRASIL. CATALOGAÇÃO NA PUBLICAÇÃO
SINDICATO NACIONAL DOS EDITORES DE LIVROS, RJ

G624c Gonçalves, Josué, 1963-
Construindo o céu em casa. / Josué Gonçalves. - 1. ed. - Rio de Janeiro : Thomas Nelson Brasil, 2013.

160 p. : il. ; 21 cm.

Inclui bibliografia
ISBN 9788578605032

1. Deus. 2. Casamento - Aspectos religiosos - Cristianismo. 2. Casamento - Doutrina bíblica. I. Título.

13-06306 CDD: 248.84
CDU: 27-452

Thomas Nelson Brasil é uma marca licenciada
à Vida Melhor Editora LTDA.
www.thomasnelson.com.br

SUMÁRIO

Introdução

Assim em casa como no céu

O CÉU E O LAR SÃO AMBIENTES DE TRABALHO E DE DECISÕES

Venha o teu Reino; seja feita a tua vontade, assim na terra como no céu.
Mateus 6:10

A vontade de Deus é plenamente realizada no céu. Boa, perfeita e agradável é a convivência ali. O amor gerencia e se espalha por todos os espaços, e os relacionamentos são sempre de respeito, altruísmo e obediência aos justos mandamentos do Criador.

Não podemos nem devemos nos deixar levar pelas imagens incorretas a respeito do ambiente celeste, em que imaginamos anjos rosados dedilhando harpas, enquanto os outros seres presentes se assentam em nuvens, com expressão entorpecida e olhar perdido, vivendo um eterno ócio. Essa visão equivocada da eternidade não encontra respaldo nas Sagradas Escrituras.

Ao contrário do que muitos podem imaginar, o céu é um ambiente de trabalho e de realizações.

Ao contrário do que muitos podem imaginar, o céu é um ambiente de trabalho e de realizações. Veja o que o próprio Deus diz dele: "O céu é o meu trono, e a terra, o estrado dos meus pés" (Atos 7:49). Trono, governo, comando e habitação do Deus vivo.

Podemos comparar esse local a um grandioso quartel-general, de onde emanam os mais elaborados planejamentos, as observações e as ordens que movem o universo, principalmente a vida de todos os seres humanos que vivem no planeta Terra.

Imaginar o céu assim nos faz desejar trazê-lo para dentro de casa, pois a família também é um ambiente de grande movimento e realizações. É ali que as transformações se revelam a cada dia, numa impressionante dinâmica de crescimento constante. As crianças se desenvolvem e nos surpreendem, e quando menos esperamos, aqueles bebês rechonchudos deixaram as fraldas e já estão saindo de casa, formados e casados. A cada etapa do desenvolvimento dos filhos ou do amadurecimento dos casais, novos desafios são vividos em um lar.

Uma dona de casa talvez seja a pessoa mais capacitada para nos falar da correria de gerenciar uma casa. Algumas se denominam "mãetoristas", pois vivem a dirigir de um lado para outro, fazendo as compras, pagando contas, contratando serviços e levando os filhos para várias atividades, nas quais eles são treinados para enfrentar a vida, servir à sociedade e, principalmente, servir ao Criador.

Os pais muitas vezes se sentem em um campo de batalha, já que enfrentam uma luta diária no mercado de trabalho, tentando garantir com o suor do rosto o sustento da família. Quando chegam em casa, há mais uma guerra à sua espera, pois há áreas que ainda necessitam de sua atuação. Precisam, por exemplo, tomar providências a respeito do filho que foi suspenso da escola ou da filha adolescente que está apaixonada, mas é muito nova para um compromisso dessa natureza.

Sim, a conclusão é óbvia: o céu e o lar são ambientes de trabalho e de decisões. Ao propormos a vinda do céu para a casa, queremos, de fato, trazer para a nossa realidade diária a mesma atmosfera de amor, respeito e obediência, que garante o sucesso dos empreendimentos planejados nas esferas celestiais.

O mesmo Deus magnífico que estabeleceu um cenário absolutamente deslumbrante para colocar o ser humano se deu ao trabalho de ainda plantar um jardim. Chamamos de paraíso o jardim do Éden, no qual um casal sem pecado estava destinado a conviver agradavelmente com Deus. Tudo que eles precisavam fazer era obedecer às ordens do Criador, cuidar do esplendoroso jardim, crescer e se multiplicar. Mas, então, veio o que os teólogos chamam de "a Queda", um episódio dramático que afastou o ser humano de Deus, maculou o paraíso, manchou a confiança do primeiro casal e amaldiçoou as futuras gerações. A primeira dupla de irmãos foi palco de um assassinato, e assim a humanidade caída começou a viver distante do SENHOR, de modo que a família foi duramente atingida.

Deus, porém, na sua infinita misericórdia, não desistiu de seus planos e, no momento oportuno da história da humanidade, nos enviou Jesus Cristo, seu Filho, para reconciliar o homem consigo. Enquanto viveu em carne e osso aqui na terra, Jesus anunciava a quem quisesse ouvir: "Arrependam-se, porque o Reino de Deus chegou."

O Reino do Céu chegou, já podemos voltar a viver debaixo do mesmo governo, do mesmo poder, dos mesmos princípios em que vivem os anjos.

Essa mensagem ecoa até hoje e nos convida a ver e a nos alegrar com a Boa-nova, a ótima notícia: o Reino do Céu chegou, já podemos voltar a viver debaixo do mesmo governo, do mesmo poder, dos mesmos princípios em que vivem os anjos.

É possível viver o céu na terra, ou, mais especificamente, o céu em casa. É disto que trata este livro, de trazer para dentro dos lares os princípios e os segredos para que o resultado do sacrifício de Jesus na cruz e da sua ressurreição possa transformar cada integrante da nossa família — a começar por nós — em moradores do céu, em cidadãos do Reino de Deus.

A Bíblia afirma que Deus é amor, e isto deve direcionar todas as coisas na nossa vida, inclusive o nosso trabalho. Veremos como atrair para a nossa vida e o nosso lar a bênção do céu, à medida que praticamos quatro princípios poderosos.

Em seguida, analisaremos como os casais podem amar com inteligência, sabendo optar corretamente entre ter razão e ser feliz. Veremos a importância do respeito no relacionamento familiar e também como encontrar nas tradições dos nossos pais e avós ensinamentos de alegria e reverência.

No decorrer da leitura, entenderemos que é possível amar e ao mesmo tempo impor limites. Na verdade, a imposição dos limites é, em si, um ato de amor.

O desejo de mudança e a vigilância para não ceder a nenhuma tentação completam estes princípios, que precisam não apenas ser aprendidos, como também colocados em prática.

Dedicamos um capítulo ao estudo do amor e da sexualidade dentro do casamento, a fim de compreender sem margem a dúvidas que o prazer sempre esteve no projeto de Deus, desde a criação do mundo.

Outro ponto importante é a valorização e o reconhecimento que um cônjuge deve dar ao outro no decorrer da vida a dois. Essa orientação bíblica faz toda a diferença no lar e é capaz de transformar de forma radical o relacionamento entre marido e mulher.

Há ainda um capítulo a respeito da maneira de criar filhos, amando-os de modo como somos amados por Deus. Demonstramos ali que mais importante do que a herança que concedemos aos nossos filhos é o legado moral e espiritual que deixamos para a próxima geração.

Concluímos este estudo sobre a construção do céu em casa lembrando ao leitor da importância da ação do Espírito Santo nesse processo. Sem a atuação do Conselheiro estaremos sempre aquém das expectativas projetadas para a família desde a fundação do mundo.

Ao término da leitura deste livro, espero que cada leitor se sinta mais apto e capacitado a viver hoje o céu em casa, em toda sua plenitude, graças à obra de Jesus e à presença auxiliadora do Espírito Santo.

Minha oração é para que a bênção do Senhor repouse sobre cada casa onde haja um exemplar deste livro e uma pessoa dedicada a trazer o céu para dentro de seu lar todos os dias.

Capítulo 1

Atraia a bênção do céu

COMO CONSTRUIR UM CASAMENTO À PROVA DO TEMPO E DAS ADVERSIDADES

O homem deixará pai e mãe e se unirá à sua mulher, e eles se tornarão uma só carne. O homem e sua mulher viviam nus, e não sentiam vergonha.

Gênesis 2:24-25

A família é um projeto cuidadosamente elaborado que nasceu no coração de Deus; por isso, ninguém melhor do que ele mesmo para dizer como ela deve ser e funcionar. O manual com todas as instruções para o funcionamento ideal da família é a Bíblia Sagrada. Ler e praticar todos os preceitos nela registrados é o maior segredo para quem deseja construir um ambiente de céu em casa.

Ao instituir o matrimônio, conforme Gênesis 2:24-25, Deus orientou o primeiro casal a desenvolver uma cultura familiar nutridora. Ao celebrar a primeira cerimônia de casamento no jardim do Éden, Deus deixou claro para Adão e Eva que uma vida conjugal bem-sucedida não seria um acidente ou obra do acaso, mas iria depender de quanto eles estavam dispostos a seguir os princípios regulamentadores da vida a dois e em família.

Nesta passagem de Gênesis há *quatro princípios* que equivalem a colunas de sustentação da família como Deus sonhou. Os casais que se dedicam a compreender e praticar esses princípios tornam-se aptos a construir um casamento à prova do tempo e das adversidades. Vejamos a seguir quais são os pilares que determinam a felicidade e a estabilidade do casamento e da família.

Primeiro princípio: Independência grata

"O homem deixará pai e mãe..." (Gênesis 2:24a)

Certamente, você já ouviu falar que a casa dos pais é um hotel, e os filhos são os seus hóspedes. Um dia eles irão embora, não pagarão a conta e, na maioria das vezes, ainda vão querer uma festa de despedida. Esse é o ciclo natural da vida. É por isso que a Bíblia diz que o homem "deixará" seu pai e sua mãe para se unir à sua mulher.

O casamento, entre outras coisas, implica romper o cordão umbilical da dependência dos pais.

O casamento, entre outras coisas, implica romper o cordão umbilical da dependência dos pais. Esse "deixar" traz consigo três aspectos importantes: *geográfico*, *emocional* e *financeiro*. Não é demais destacar que o texto traz o verbo deixar no sentido de *emancipação*, o que é bem diferente de *abandonar*. "Deixar", nesse contexto, tem de contemplar a "honra". A matemática de Deus é assim: EMANCIPAÇÃO + HONRA = BÊNÇÃO. Isso significa que é muito perigoso e arriscado sair da casa dos pais sem a bênção deles.

Muitas vezes, a causa do fracasso de muitos casamentos se deve ao fato de que o marido ou a esposa, ao contraírem o matrimônio, não saíram da casa dos pais debaixo da sua bênção. Alguns até saíram abençoados, mas não voltaram para dar assistência aos pais, cuidar deles e honrá-los. Há um mandamento nas Escrituras cuja importância não pode ser ignorada: "Honra teu pai e tua mãe [...] para que tudo te corra bem e tenhas longa vida sobre a terra" (Efésios 6:2-3).

Gosto de um slogan que os agricultores norte-americanos usavam em uma campanha nos Estados Unidos: "Se não gosta do que está colhendo, olhe para trás e veja o que você plantou." Quem planta a semente da ingratidão e da desonra naturalmente não pode esperar colher coisas boas. Muitas pessoas ainda não se deram conta de que cuidar dos pais é o maior investimento que se faz para colher longevidade e prosperidade ao longo da vida.

Um "deixar" geográfico

Há um antigo adágio popular que expressa uma grande verdade: "Quem casa quer casa." Não é prudente que o casal, logo no início da vida a dois, vá morar com os pais. Aqueles que estão começando a caminhada conjugal precisam amadurecer e aprender o mais cedo possível a assumir a responsabilidade da construção de uma família, o que não acontece se eles estiverem morando com os pais.

É fundamental que o casal comece o seu projeto de vida conjugal em seu próprio "ninho". A privacidade é imprescindível para que a relação se desenvolva, a intimidade se estabeleça e os dois cresçam. Com razão alguém afirmou: "Ninguém cresce na sombra." Se você é casado, já deixou geograficamente os seus pais?

Um "deixar" emocional

A privacidade de um lar depende dos limites que o casal estabelece para que sejam respeitados pelas demais pessoas. Onde não há respeito aos limites não há privacidade. Muitos dos conflitos conjugais são, sem sombra de dúvida, consequência de conflitos de lealdade com a família de origem. Por isso, os laços familiares devem passar por uma transformação, a fim de que cada cônjuge consiga ligar-se efetivamente ao parceiro e formar a base de uma nova família.

Os pais, por sua vez, precisam entender que os filhos são temporários, mas o casamento é permanente. Quando há essa compreensão, acaba a competição entre nora e sogra, entre sogro e genro, e a convivência torna-se pacífica e harmônica. O segredo está no respeito aos limites que o casamento impõe em relação à família de origem. É sempre um problema quando a mãe desenvolve dependência emocional do filho. No futuro, muito provavelmente, esta será uma das causas dos grandes conflitos entre nora e sogra. Por isso, casamento implica "deixar" para se "unir".

Um "deixar" financeiro

O que dizer dos pais que superprotegem o filho casado, bancando as despesas, patrocinando e pagando tudo? Por que isso é inconcebível? Porque sempre que os pais assumem os gastos financeiros, a tendência é se sentirem donos do casamento do filho. Dificilmente pais que agem dessa maneira resistem à tentação de interferir no dia a dia e nas decisões do casal. Esta, sem dúvida, é uma das causas dos grandes conflitos em muitas famílias.

Os pais devem ensinar os filhos a pescar, e não passar a vida toda lhes dando peixe.

Os pais devem ensinar os filhos a pescar, e não passar a vida toda lhes dando peixe. Quando dou palestras direcionadas a jovens, sempre digo que o casamento deve acontecer quando o casal tiver condição de se sustentar, para que haja um efetivo "deixar" financeiro. Não estou afirmando que os pais não devem ajudar os filhos casados quando perceberem que eles enfrentam um tempo de dificuldade. O que não considero aceitável é o comodismo de muitos filhos e a insensatez de muitos pais que não ensinam os jovens casais a irem à luta.

Casais que vivem na dependência financeira dos pais não crescem, não amadurecem, não progridem no relacionamento conjugal e se transformam em um peso para a família de origem.

Segundo princípio: Unificação – aliança

"*...e se unirá à sua mulher...*" (Gênesis 2:24b)

O termo *unir* (ou *apegar*, como aparece em algumas traduções) lembra a mesma palavra hebraica usada no livro de Josué, capítulo 23, versículo 8: "*Apeguem-se somente ao Senhor...*" *Apegar* aqui significa juntar, afeiçoar, adaptar, agarrar, unir, atar, conciliar, harmonizar, ligar, fundir, soldar, associar, colar uma parte na outra. A união conjugal tem exatamente esse sentido e assim deve ser compreendida.

O profeta Malaquias deixou registrado um texto que descreve a seriedade do casamento aos olhos de Deus:

> E vocês ainda perguntam: "Por quê?" É porque o Senhor é testemunha entre você e a mulher da sua mocidade, pois você não cumpriu a sua promessa de fidelidade, embora ela fosse a sua companheira, a mulher do seu acordo [*aliança*] matrimonial.
>
> Não foi o Senhor que os fez um só? Em corpo e em espírito eles lhe pertencem. E por que um só? Porque ele desejava uma descendência consagrada. Portanto, tenham cuidado: Ninguém seja infiel à mulher da sua mocidade.
>
> *"Eu odeio o divórcio"*, diz o Senhor, o Deus de Israel, "e também odeio o homem que se cobre de violência como se cobre de roupas", diz o Senhor dos Exércitos.
>
> Por isso, tenham bom senso; não sejam infiéis.
>
> Malaquias 2:14-16, inserção e grifos do autor

O divórcio tem sido visto em nossa sociedade como porta normal, formal e natural de saída, quando deveria ser encarado apenas como uma saída de emergência.

Observe que o texto não afirma que Deus odeia os divorciados, isso porque, em determinadas situações, a separação é um mal menor. O que a Igreja, como sal da terra e luz do mundo, não pode aceitar é a banalização de algo tão sagrado quanto o casamento.

O divórcio tem sido visto em nossa sociedade como porta normal, formal e natural de saída, quando deveria ser encarado apenas como uma saída de emergência.

Assim como em situações de extremo perigo, como incêndio ou desabamento, que trazem consigo risco à integridade física de quem está ali e que oferecem poucas opções de fuga, o divórcio muitas vezes é a única saída. Se o relacionamento do casal traz evidências de violência, perigo, ameaças e maus-tratos, a separação pode ser a porta de emergência.

Por que Deus odeia o divórcio?

Muitos fazem essa pergunta, e a resposta é simples: Deus odeia o divórcio porque o divórcio é uma guerra, é como um tsunami, é a apostasia do amor. Quando um casal se separa, há perdas irreparáveis para toda a família. Tanto o casal quanto os filhos enfrentam traumas, ganham marcas profundas na alma, são atacados por pensamentos suicidas, depressão, angústia, medo e todo tipo de sentimento pernicioso.

Costumo dizer que o único que ganha com o divórcio é o diabo. O certo é que se dependesse só de Deus, não haveria divórcio, porque no plano original não havia espaço para a separação. Quando Deus instituiu o casamento, ele queria que houvesse entre marido e mulher uma aliança como há entre as três Pessoas da Trindade — Pai, Filho e Espírito Santo. Eles são inseparáveis e convivem em uma aliança eterna. Lembre-se: Deus odeia o divórcio.

O plano original de Deus é que marido e mulher façam bem um ao outro, que se ajudem mutuamente, que cooperem entre si, que busquem entender os planos e os desafios do Senhor para eles. Todas essas ações devem ser revestidas de muita alegria e de muito prazer. Além da satisfação do convívio, Deus ainda concedeu para seus filhos a bênção do sexo.

Terceiro princípio: A bênção sexual — procriação e recreação

"...e eles se tornarão uma só carne." (Gênesis 2:24c)

Procriação — União física e biológica

Um dos aspectos funcionais do casamento é a perpetuação da espécie humana. Isso está muito bem-explicitado em Gênesis 1:28: "Deus os abençoou, e lhes disse: 'Sejam férteis e multipliquem-se! Encham e subjuguem a terra!'" Hoje em dia, há vários casais que fazem a opção radical de não ter filhos, pois entendem que isso não é tão importante. Essa decisão, porém, pode representar a causa de conflitos, desajustes e infelicidade conjugal no futuro.

Casais que adotam crianças repetem o gesto de Deus para conosco.

A Bíblia diz que os filhos são herança do Senhor (ver Salmos 127:3), e, além disso, costumo afirmar que eles trazem equilíbrio à relação do casal. Tê-los não é opcional, é uma necessidade. Quando o casal, por causa de um problema de infertilidade, não pode gerar filhos biológicos, eis uma grande oportunidade para gerar os chamados "filhos do coração", ou seja, partir para um processo de adoção. Casais que adotam crianças repetem o gesto de Deus para conosco, pois ele só tem um Filho "legítimo", o nosso Senhor Jesus — os demais são todos adotados, inclusive eu e você (ver Romanos 8:15).

Quem é dono de uma cachorrinha e pretende que ela dê cria precisa apenas providenciar um macho quando chega a época do cio. O sexo, para o cachorro, bem como para os outros animais, está associado diretamente à procriação. O mesmo não acontece com o ser humano, cuja constituição fisiológica não permite que se associe o sexo somente à reprodução. Segundo os sábios desígnios da criação do Senhor, nunca se sabe exatamente qual é o dia fértil da mulher. Há apenas indícios, e, por isso, a maneira mais fácil de se engravidar é ter uma vida sexual constante e tranquila.

Recreação — União emocional

Não se pode negar o desejo sexual (ver Provérbios 5:19). A satisfação que o sexo fornece é o prazer obtido da reafirmação do tributo original do mútuo amor. Sem o prazer do sexo, sem a união física, o casamento se torna platônico, estéril e ilusório — em outras palavras: não vale a pena.

A Bíblia é muito rica quando trata do prazer proporcionado pelo ato sexual. Há um texto em Provérbios que, numa linguagem figurada, ensina como o casal deve desfrutar desta bênção planejada por Deus:

> Beba das águas da sua cisterna [*fidelidade*], das águas que brotam do seu próprio poço. Por que deixar que as suas fontes transbordem pelas ruas, e os seus ribeiros pelas praças? Que elas sejam exclusivamente suas, nunca repartidas com estranhos. Seja bendita a sua fonte! Alegre-se com a esposa da sua juventude. Gazela amorosa, corça graciosa; que os seios de sua esposa sempre o fartem de prazer, e sempre o embriaguem os carinhos dela.
>
> Provérbios 5:15-19, inserção do autor

Com base nessa e em outras passagens bíblicas, podemos afirmar com toda a convicção que marido e mulher devem ver o sexo como a celebração do amor no casamento.

Proteção contra adultério e perversões

O apóstolo Paulo também se preocupou em abordar a importância do ajustamento sexual dos casais da igreja de Corinto, pois só assim eles estariam fortalecidos para vencer as tentações que enfrentariam fora de casa. Gosto da maneira clara, objetiva e honesta como ele trata desse assunto:

> O marido deve cumprir os seus deveres conjugais para com a sua mulher, e da mesma forma a mulher para com o seu marido. A mulher não tem autoridade sobre o seu próprio corpo, mas sim o marido. Da mesma forma, o marido não tem autoridade sobre o seu próprio corpo, mas sim a mulher. Não se recusem um ao outro, exceto por mútuo consentimento e durante certo tempo, para se dedicarem à oração. Depois, unam-se de novo, para que Satanás não os tente por não terem domínio próprio.
>
> 1Coríntios 7:3-5

Casais bem-resolvidos sexualmente revelam maturidade em outras áreas da vida conjugal.

O que Paulo está dizendo aos irmãos da igreja de Corinto é que o ajustamento sexual do casal é a melhor maneira para se prevenir contra os pecados de imoralidade, como o adultério. Isso vale também para nós hoje em dia. Casais bem-resolvidos sexualmente revelam maturidade em outras áreas da vida conjugal, afinal, o sexo é o termômetro do casamento.

Quarto princípio: Intimidade e transparência

"O homem e sua mulher viviam nus, e não sentiam vergonha." (Gênesis 2:25)

Casar significa conhecer, e só há conhecimento e intimidade profunda e verdadeira quando marido e mulher se descobrem ou se desnudam um para o outro. Essa nudez não se restringe apenas à questão física, mas precisa abranger também os aspectos emocional, psicológico e espiritual.

Há casais que dormem na mesma cama, têm relações sexuais, mas vivem como dois estranhos, pois não há intimidade entre eles. No fundo, eles não se conhecem. Cada um parece viver isolado dentro do próprio mundo, e, muitas vezes, eles não compartilham nem sequer os mesmos sonhos.

Mas o que é necessário para que o casal se desnude interiormente dentro do casamento? Confiança. E a confiança se constrói ao sermos o mais transparentes possível. Quando isso ocorre, cria-se um espaço onde os dois cônjuges passam a se sentir seguros para abrir o coração um para o outro. É sempre bom lembrar que ninguém abre as gavetas da sua alma para uma pessoa que não inspira confiança.

Em muitos casamentos, a falta de liberdade e segurança para se expor impede que os casais desenvolvam a intimidade plena. Quando marido e mulher procuram aprofundar o compromisso de amizade a cada dia, eles não só crescem como casal, mas também fortalecem o vínculo conjugal.

Quando o casal pratica e leva a sério os princípios estabelecidos por Deus para a família, a felicidade passa a ser uma consequência natural. Uma frase simples ilustra bem a lição da qual não devemos nos esquecer: quem corre atrás da obediência não precisa correr atrás da bênção.

Independência grata, unificação, bênção sexual e intimidade são as quatro colunas de sustentação para a construção do casamento conforme foi originalmente planejado por Deus. É impossível ter um casamento feliz e uma família abençoada sem a prática consciente desses princípios.

De posse dessa bênção, podemos prosseguir para buscar conhecer e praticar os poderosos princípios do amor — que respeita as tradições e os limites, que está sempre disposto a mudar —, protegendo o casamento de qualquer ataque.

O próximo passo é descobrir como se comporta o amor inteligente. Vejamos no capítulo a seguir.

Capítulo 2

Amor inteligente

É POSSÍVEL TRAZER O MODO DE VIVER DO CÉU PARA SUA CASA NA TERRA

> *Sejam completamente humildes e dóceis, e sejam pacientes, suportando uns aos outros com amor.*
>
> Efésios 4:2

Em certa ocasião, minha esposa, Rousemary, estava orientando uma amiga, que vivia um grande conflito no casamento. No meio do aconselhamento, ela fez uma pergunta àquela jovem esposa: *Você quer ter razão ou ser feliz?* Procure responder você também a essa pergunta. Sua resposta vai revelar se você está reagindo aos estímulos e eventos do cotidiano com *inteligência conjugal.*

Aqueles que sempre querem ter razão, custe o que custar, jamais serão felizes.

Na vivência do matrimônio, aqueles que sempre querem ter razão, custe o que custar, jamais serão felizes. A vida a dois, a experiência conjugal, exige que o casal tenha sensibilidade, discernimento e sabedoria para fazer a melhor escolha — e, sem dúvida, a melhor escolha é ser feliz.

Outro mito que precisa ser desfeito quando se trata de casamento é a ideia de que o "amor romântico" é tudo para o sucesso da vida conjugal. Infelizmente, muitos casais hoje em dia ainda se casam pensando que só o *romantismo* basta para que os dois sejam felizes para sempre, e isso não corresponde à realidade.

Isso até funciona na primeira fase do relacionamento, que é a da *idealização*. Nela, o casal não vê o real, mas sim aquilo que foi sonhado, projetado e idealizado. Porém, à medida que os dois vão "caindo na real" e os defeitos vão aparecendo, o "anjo" começa a ganhar a forma de "ser humano", com todas as suas imperfeições, seus traumas e suas limitações. Nessa fase, o "amor romântico" já não é mais suficiente para sustentar a relação conjugal.

Quando acaba a fase do amor-sonho, o casal começa a perceber que não existe casamento sem papel higiênico, cesto de roupas sujas, mau hálito pela manhã, vaso sanitário, chuveiro que não esquenta no inverno e coisas do tipo. É nesse período que os dois passam a brigar com muita frequência, não por falta de amor, mas por falta de *inteligência conjugal*.

Conforme o tempo passa e os acontecimentos se sucedem, o casal precisa aprender que para ser feliz no casamento é preciso ser inteligente! Há um texto na carta do apóstolo Paulo escrita aos efésios que expressa a importância de compreendermos essa verdade:

> Maridos, ame cada um a sua mulher, assim como Cristo amou a igreja e entregou-se por ela para santificá-la, tendo-a purificado pelo lavar da água mediante a palavra, e para apresentá-la a si mesmo como igreja gloriosa, sem mancha nem ruga ou coisa semelhante, mas santa e inculpável.
>
> Efésios 5:25-27

O que o apóstolo está querendo ensinar a todos os casais é: todas as vezes que o marido investe na sua esposa, o mais beneficiado é ele mesmo. "Para apresentá-la a si mesmo como igreja [esposa] gloriosa..." Isso é *inteligência conjugal*. O mesmo também se aplica para a mulher no tratamento com o marido.

Se essa não for a visão que orienta a vida dos dois, a competição se torna uma realidade e acaba impedindo que eles sejam "aliados íntimos" contra os inimigos do casamento, que, diga-se de passagem, não são poucos.

Você quer ter razão ou ser feliz?

É muito grande o número de casais que, por causa da inflexibilidade de um dos dois ou de ambos, gasta uma fortuna com aquilo que não vale uma moedinha de dez centavos. Isso se deve à "mania" de querer sempre ter razão, mesmo que essa atitude aprofunde a crise, gere mágoas e levante um muro de resistência, provocando um distanciamento cada vez maior entre marido e mulher. Infelizmente, esse parece ser um mal arraigado no ser humano, mas que precisa ser tratado por quem deseja ter um relacionamento conjugal que espelhe a vontade de Deus.

Na convivência a dois, às vezes é necessário que um "perca" para que ambos os cônjuges possam ganhar.

A humildade é uma das virtudes que se manifestam quando há *inteligência conjugal*. Na convivência a dois, às vezes é necessário que um "perca" para que ambos os cônjuges possam ganhar. Estruturas rígidas se quebram com facilidade. As árvores que suportam as grandes tempestades sem se quebrar são as flexíveis. Quando o homem e a mulher atingem esse nível de maturidade, desenvolvendo a flexibilidade como traço da personalidade, é porque definitivamente entenderam que *inteligência conjugal e amor maduro geram a verdadeira felicidade.*

Convém ressaltar que para ser feliz uma pessoa não precisa se anular, tornando-se um "boneco" sem o direito de sugerir, opinar, contrariar, participar etc. O casamento não foi feito para provocar a morte do "eu" e da "individualidade" de nenhum dos cônjuges. Ao contrário, no casamento marido e mulher se complementam, crescem e amadurecem juntos.

Fico extremamente preocupado quando, nas viagens que faço para ministrar palestras, ouço o marido ou a esposa dizendo: "Estou casado há trinta anos e nunca brigamos, discutimos ou gritamos um com o outro!" Se isso for, de fato, verdade, é porque os dois não se amam ou porque estão juntos, mas nunca compreenderam o que é casamento. Só quem deseja o melhor para o outro é que *reclama, critica, cobra, aponta as áreas que precisam melhorar.*

Quem é que, em um dia ou outro, não acorda de mau humor, irritado, estressado ou perturbado com alguma situação que lhe foge do controle? Somente quando não há preocupação genuína com o outro é que não há brigas nem discussões, pois o que impera é a indiferença. Não pode haver maior demonstração de falta de amor maduro e de inteligência conjugal.

É bom "brigar construtivamente" para ter razão quando o que está em jogo é a estabilidade da relação, o futuro da família, o equilíbrio financeiro, a vida espiritual do cônjuge e a felicidade do casal. Nesses casos, não se deve abrir mão do que é correto do ponto de vista de algo mais elevado, que é o próprio sucesso do casamento. A manutenção da boa relação conjugal é um bem inegociável.

Quando a causa da "batalha travada" é algo banal, fútil, pequeno no seu valor e na sua importância, todo tempo e toda energia gastos configuram um desperdício tolo. Pela experiência que temos no trabalho junto a muitas famílias, podemos dizer que esses casos configuram a grande maioria das brigas de casal, e aí, não resta dúvida: não vale a pena *ter razão* — é preferível *ser feliz.*

As diferenças entre um e outro são normais e podem ser encaradas com tranquilidade e bom humor. Nenhuma pessoa é igual a outra, e é muito bom que seja dessa maneira. Não há como negar que a vida seria extremamente monótona se todos fossem iguais e tivessem os mesmos gostos. Mas Deus, na sua sabedoria infinita, fez cada ser humano distinto um do outro.

A humildade é a virtude que deve permear a conduta do casal, à medida que um cônjuge pode considerar que o jeito do outro, embora diferente do seu, pode ser igualmente bom ou até melhor (o que acontece com bastante frequência).

Esse é um dos motivos pelos quais precisamos aprender a agir com respeito ao outro em qualquer situação se desejamos construir o céu aqui e agora dentro da nossa casa. Respeito é o tema do próximo capítulo.

Capítulo 3

Amor e respeito

AS CHAVES PARA UM RELACIONAMENTO DE SUCESSO

O amor é paciente, o amor é bondoso. Não inveja, não se vangloria, não se orgulha. Não maltrata, não procura seus interesses, não se ira facilmente, não guarda rancor. O amor não se alegra com a injustiça, mas se alegra com a verdade. Tudo sofre, tudo crê, tudo espera, tudo suporta.

1Coríntios 13:4-7

Existe uma frase que considero muito apropriada sempre que o assunto é respeito no relacionamento: "Os gritos começam quando termina a inteligência." Não faz muito tempo, durante o intervalo de uma palestra em um seminário para casais, fui tomar um cafezinho com um dos participantes no bar do hotel.

Ele era um homem de aproximadamente 65 anos e estava casado havia mais de quarenta anos com a mesma mulher. Muito extrovertido e falante, esse senhor me contou que tinha três filhos, todos casados, e que os cinco netos eram maravilhosos. Ele fazia questão de demonstrar que era um homem muito feliz e realizado no seu casamento e que tinha muito orgulho e gratidão pela família que possuía.

Percebendo muita sinceridade no seu testemunho, aproveitei para pedir que ele definisse, com uma única palavra, qual era o *segredo* do sucesso do seu casamento. Sua resposta não me surpreendeu. O segredo revelado por aquele homem é um valor imprescindível chamado *respeito.*

Segundo a versão on-line do dicionário *Michaelis*, a palavra "respeito" pode adquirir vários significados, entre os quais destacam-se: *apreço, consideração, acatamento, deferência, obediência, submissão, referência, relação, medo* e *temor*.

Tendo em mente essas definições, é um bom exercício tentar responder por que as pessoas costumam ferir aquelas a quem mais amam. Vale imaginar também como seria a família se todos se respeitassem.

Paulo, ao escrever sobre o amor à igreja de Corinto, definiu amor como *respeito* porque, em síntese, amar é respeitar. Portanto, é possível concluir que quem ama sempre respeita. Veja como as virtudes do amor, listadas em 1Coríntios 13:4-7, têm tudo a ver com o respeito:

- O amor sabe esperar sem se irritar; é paciente.
- O amor não é invejoso, porque respeita a alegria do outro.
- O amor não é rude; é gentil e diplomático.
- O amor não se irrita nem é hipersensível; reage com respeito.
- O amor nunca se alegra com a injustiça; sempre espera que a verdade triunfe.
- O amor é leal, mesmo que para amar seja necessário que alguém se sacrifique.

Quando marido e mulher não demonstram respeito um pelo outro, há um forte indício de que o casamento está "doente".

Quando marido e mulher não demonstram respeito um pelo outro, há um forte indício de que o casamento está "doente" e corre grande perigo. Observe que, antes de listar as virtudes do amor, o apóstolo Paulo escreveu: "Mesmo que eu tivesse o dom da fé, a ponto de poder falar a uma montanha e fazê-la sair do lugar, ainda assim eu não valeria absolutamente nada sem amor [*sem respeito*]" (1Coríntios 13:2, BV, inserção do autor).

Se, no decorrer dos anos, marido e mulher abandonam o respeito mútuo, a vida conjugal perde o brilho, e a relação acaba por se tornar um peso insuportável para ambos os cônjuges. No céu, por ser o local perfeito onde reina a perfeita harmonia, não existem relacionamentos em que o respeito não seja uma marca fundamental. Imagine passar uma eternidade sendo desrespeitado ou tendo de viver com o amargo gosto de desrespeitar os outros. É por isso que a Bíblia diz:

> Um homem deve *amar* sua esposa como parte de si próprio; e a esposa deve cuidar de *respeitar* profundamente o marido — obedecendo, elogiando-o e honrando-o.
>
> Efésios 5:33, BV, grifo do autor

Em outra passagem bíblica, Pedro considera o relacionamento marido/mulher da seguinte maneira:

> Vocês, maridos, devem ser cuidadosos com suas esposas, estando atentos às necessidades delas e *respeitando-as* como o sexo mais frágil; lembrem-se de que vocês e sua esposas são companheiros em receber as bênçãos de Deus, e se não as tratarem como devem, as orações de vocês não terão uma resposta pronta.
>
> 1Pedro 3:7, BV, grifo do autor

Respeito é bom

Em todos os tipos de relacionamento, e em especial no casamento, a vida fica melhor quando tratamos uns aos outros com respeito. Costumo dizer que *quem sabe respeitar o próximo constrói confiança e credibilidade*. Uma mulher que se sente desrespeitada pelo marido mais cedo ou mais tarde deixa de admirá-lo e perde o apreço por ele. Por sua vez, o marido que se vê desrespeitado pela esposa vive pela metade e não tem prazer em protegê-la.

Vejamos a seguir alguns quesitos básicos para manter o respeito entre o casal:

Respeitar os limites do outro

Antes de qualquer coisa, convém ponderarmos sobre o propósito essencial dos limites e tentar responder por que eles são necessários. Após poucos minutos de reflexão, podemos concluir que limites são importantes porque só é possível saber até onde vai a minha propriedade se houver uma linha demarcatória — ou limite.

O respeito aos limites dentro do casamento contribui para que a convivência entre marido e mulher seja agradável e enriquecedora.

Os limites definem o que é *meu* e até onde posso ir. Costumo afirmar, e não custa repetir, que a palavra mais simples para definir limites é *não*. O *respeito* aos limites dentro do casamento contribui para que a convivência entre marido e mulher seja agradável e enriquecedora. É preciso respeitar o *não* do cônjuge. Mais à frente, retomarei o assunto, fazendo uma abordagem um pouco mais ampla sobre limites.

Respeitar as diferenças do cônjuge

Só haverá unidade sadia no casamento a partir do momento em que o casal entender que as diferenças que existem entre eles precisam ser respeitadas. Cuidar e ser cuidado, respeitando as diferenças recíprocas —, eis o desafio de todo e qualquer casal. Ninguém é uma extensão do outro. Ao contrário, somos indivíduos distintos, cada qual com seus próprios direitos e particularidades. É importante frisar que *quando deixamos de ver as pessoas como realmente são, o amor acaba.*

Não se pode transformar o cônjuge em escravo das nossas vontades e, com isso, deixar de vê-lo como realmente é. Precisamos superar o egocentrismo básico com o qual todos nós nascemos e perder a mania de achar que "o mundo gira em torno de nós". É possível resolver conflitos de opiniões ou de interesses distintos, mas, para isso, é necessário que haja respeito.

Conhecer as diferenças entre o homem e a mulher pode ajudar no fortalecimento do vínculo conjugal.

Diferenças básicas entre o homem e a mulher

Algumas diferenças devem ser conhecidas na vivência conjugal para que se possa praticar o respeito, que é a linguagem do céu. Conhecer as diferenças entre o homem e a mulher pode ajudar no fortalecimento do vínculo conjugal, evitando que a unidade do casal adoeça. Observe no quadro comparativo a seguir como algumas características próprias de homens e de mulheres nos mostram a profunda diferença que existe entre os dois seres da espécie humana:

Homem	Mulher
1. O bem-estar do homem é determinado primariamente pelo sucesso que ele experimenta no trabalho. O que isso tem a ver com a realização de objetivos econômicos e sociais?	1. O bem-estar das mulheres é determinado primariamente pela qualidade dos seus relacionamentos. Como isso pode acontecer?
2. O homem tem maior capacidade de analisar e concluir uma questão, sem se deixar envolver por problemas pessoais e emocionais.	2. A mulher tem maior capacidade de detectar sentimentos e insinuações não verbais e de perceber detalhes.

Homem	Mulher
3. O homem tem uma necessidade particular de ser respeitado e de ser admirado por sua competência.	3. A mulher tem uma necessidade particular de expressar sentimentos e experimentar amor.
4. O homem se utiliza da linguagem, primariamente, para expressar ideias e conceitos e para manter posições de destaque.	4. A mulher se utiliza da linguagem, especialmente, para desenvolver relacionamentos. Por isso, é mais provável que procure segurança em relacionamentos do que em realizações.
5. O lar, para o homem, é o lugar onde ele pode se desligar e descansar, sem se preocupar com a produtividade.	5. O lar, para a mulher, é o local onde deve existir comunicação significativa.
6. O homem procura mais segurança nas realizações do que em relacionamentos.	6. A mulher desenvolve modelos de comunicação indiretos: explosões de raiva, choro, dissimulação ou, quando tudo isso não serve para nada, desenvolve sintomas. Isso confunde e afasta os homens, que não entendem o que elas querem e o que esperam deles.

Ao observarmos essas seis diferenças básicas entre o homem e a mulher, podemos concluir que as características masculinas aumentam a capacidade do homem de agir, de aceitar desafios e de vencer. Se um homem se deixar envolver por detalhes ou emoções, será considerado um general fraco na guerra e um administrador sem eficiência. O maior medo do homem é justamente o de ser chamado de incompetente, de sentir-se diminuído, rejeitado e dominado.

Já as características femininas apontam para a capacidade que as mulheres têm de compreender, nutrir e apoiar. A mulher precisa se sentir amada e reconhecida pelo que é, e não por alguma tarefa que realiza. O maior medo da mulher é ser desejada apenas como objeto, enquanto for útil. Quando a necessidade da mulher de ser amada não é satisfeita, ela sente uma perda da intimidade. Para suprir essa falta, ela tenta estabelecer vínculo por meio de perguntas, pedidos, apelos, exigências ou acusações. A reação do homem é se afastar, e isso aumenta o conflito.

Quando as diferenças entre os parceiros são respeitadas dentro do casamento, um cônjuge enxerga o outro como uma pessoa, e não como uma propriedade sua. Isso acontece porque ele compreende que o outro não existe apenas para satisfazê-lo.

Os casais precisam saber que, em um relacionamento conjugal saudável, é necessário deixar sempre um espaço para que as diferenças se manifestem, porque é só dessa maneira que um cônjuge passa a respeitar os sentimentos do outro. Praticar este princípio leva cada um a deixar de lado as próprias emoções e a se colocar no lugar do outro.

Dar ao cônjuge a liberdade de ser diferente

É normal haver discordâncias em um relacionamento íntimo como o casamento. Mas o que os casais fazem quando discordam? A comunhão do casal depende de quanto cada cônjuge permite ao outro ter diferentes opiniões, experimentar estados de espírito diversos, expressar gostos e vontades distintos.

E se um quiser fazer sexo e o outro não? E se cada um quiser fazê-lo numa frequência diferente da do outro? E se um tiver vontade de sair e o outro não? E se um quiser uma casa grande e o outro quiser guardar dinheiro para evitar a pressão de um financiamento longo? A resposta a cada uma dessas perguntas depende de como os dois toleram as diferenças mútuas.

Não há nada de errado nas diferenças. Elas fazem parte da matéria da qual brota o amor.

Em um bom relacionamento conjugal, o casal sabe valorizar e respeitar as suas individualidades. Não há nada de errado nas diferenças. Elas fazem parte da matéria da qual brota o amor.

Você aprecia o jeito de ser do seu cônjuge? É capaz de amar algo no seu cônjuge que não tem nada a ver com você? Espero que você responda afirmativamente a essas duas perguntas, já que amar é apreciar a outra pessoa pelo que ela é, sem pensar no que se quer ou no que dela se espera.

O amor genuíno comprova que é possível haver unidade sadia entre o casal, mesmo os dois sendo completamente diferentes. Isso é o que se chama *unidade na diversidade*. Para que isso ocorra na prática, o marido e a mulher precisam se dedicar diariamente à tarefa de cultivar o relacionamento.

Respeitar os *pais* e a *família* de origem do cônjuge

Costumo viajar muito e, em todas as palestras que ministro sobre relacionamento conjugal, costumo repetir esta frase: *A qualidade da sua vida conjugal e a duração do seu casa-*

mento podem ser determinadas pela forma como você trata os pais e a família do seu cônjuge.

Em toda família existe alguma pessoa difícil, com a qual é preciso aprender a conviver; porém, nada justifica quando um dos cônjuges trata a família de origem do outro com falta de *respeito* e dignidade. Casais inteligentes sabem respeitar a família do outro.

Saber se relacionar com os sogros e com os cunhados pode resultar em muitos benefícios para o relacionamento conjugal.

O casal Abrahão e Bertha Grinberg, no livro *Sogras e noras aprendendo a conviver*, dá algumas sugestões que podem auxiliar sogras e noras a conviverem de forma harmoniosa:

a. Seja política, diplomática e tolerante.
b. Respeite, seja realista e não interfira.
c. Acate o direito da outra à privacidade.
d. Evite críticas e ofensas pessoais.
e. Conselhos, só quando solicitados. Não faça comentários sobre a casa da outra. Cada um tem seu estilo.
f. Seja cordial. Evite discussões. Use a discrição e resolva os problemas com sabedoria.
g. Presenteie a sogra/nora, quando puder. Uma pequena lembrança encanta e muitas vezes custa pouco. Cuidado com a hipocrisia.
h. Evite competição ente ambas. Só rivaliza quem se sente inferior e inseguro.
i. Mostre com palavras, e principalmente com atos, seu interesse pela sogra/nora.
j. Não queira se fazer de superior. Quem procede assim está escondendo um sentimento de inferioridade. Evite o ócio. Mantenha-se ocupada. Pessoa ocupada não tem tempo para coisas mesquinhas.

k. Não interfira na educação dos netos, a não ser quando a nora lhe solicitar ajuda e orientação. Mesmo assim tenha cuidado.
l. Respeite os seus sogros. Eles são os pais do seu marido.
m. O convívio com a sogra é facilitado quando o amor ao marido é verdadeiro e profundo.
n. Não sejam competidoras. Prefiram ser cooperadoras. Tudo nesse relacionamento é uma questão de limites. Quando observados, trazem equilíbrio e saúde emocional para todos. Quando quebrados, instala-se o caos.

Respeitar o momento do outro

Como acontece com qualquer ser humano, não é toda hora nem todo dia que o cônjuge está bem-humorado, alegre e motivado. Pode acontecer de o marido chegar em casa eufórico, feliz da vida, querendo comemorar com a esposa uma grande conquista, e a encontrar frustrada por causa de uma notícia ruim que recebeu à tarde ou da febre inesperada do filho mais novo.

O segredo é não desqualificar a emoção do cônjuge, mas respeitá-la.

Em ocasiões como essas, que ocorrem com mais frequência do que gostaríamos, o casal deve demonstrar maturidade e discernimento, para um respeitar o momento do outro. O segredo é não desqualificar a emoção do cônjuge, mas respeitá-la.

Respeitar a maneira do outro ver as coisas

Cada pessoa tem um jeito diferente de enxergar a realidade à sua volta, e isso vale também no casamento. Pode acontecer de os dois olharem para a mesma figura, mas cada um ver e interpretar de maneira diferente. Situação semelhante acontece quando os dois apresentam pontos de vista distintos em relação a um problema no trabalho, na escola dos filhos, no relacionamento sexual, na compra de um imóvel, na venda de um carro etc.

São duas pessoas pensando e vendo de maneiras totalmente diferentes, o que não significa que uma das duas esteja errada. A busca pelo acordo deve levar em consideração o conceito de que o respeito é a base do entendimento. Quando o marido e a mulher se respeitam mutuamente, sempre vai prevalecer o bom senso.

Respeitar a *cadência* ou *ritmo* do outro

Cada pessoa se movimenta, fala, decide, anda e age numa determinada velocidade, ou seja, cada um tem um ritmo próprio de atuar nas diversas situações da vida. Nem sempre o casal tem a mesma cadência; ao contrário, na maioria das vezes, marido e mulher são bem diferentes. É preciso respeitar e se adaptar.

Um dos pontos de tensão muito sérios em grande parte dos casamentos é a diferença do impulso sexual do *homem* em relação ao da *mulher*. Em geral, o marido tem o impulso sexual muito mais aguçado do que o da esposa. Ele é o elemento que age, que toma a iniciativa, enquanto a mulher é a que reage e espera ser seduzida. Essa diferença tem sido a causa de conflitos intermináveis entre os cônjuges de qualquer faixa etária ou social.

A resolução para esse problema é relativamente simples. Com frequência tenho afirmado a inúmeros casais que me procuram que a saúde está no equilíbrio.

A mulher não pode ser *passiva sexualmente*, esperando que o marido comece e termine o ato sexual. Ela precisa se envolver efetivamente.

Se, de forma geral, o homem se excita pelo que vê, significa que a mulher deve se preocupar em despertá-lo, por exemplo, vestindo-se de uma forma que o seduza na hora da relação sexual. O marido, por sua vez, pode ajudar a esposa, incentivando-a a ser mais livre, solta, ousada e participativa na hora do sexo.

A compreensão e o respeito são fundamentais e podem contribuir muito para o crescimento do casal nessa área. Quanto mais respeito houver entre os cônjuges, maior será o amor, e mais fácil será para que o homem e a mulher alcancem a plenitude orgástica.

Respeitar o direito do outro

> *O tripé dos limites dentro do relacionamento conjugal é formado por* liberdade, respeito *e* amor.

Para você ser feliz no casamento, não é necessário exigir que o outro se anule. O casamento não é uma chamada para o aprisionamento nem para a escravidão. O tripé dos limites dentro do relacionamento conjugal é formado por liberdade, respeito e amor. Quando o marido ou a mulher não respeitam o direito do outro, o casamento deixa de ser uma sociedade amigável e cordial e se torna um "campo de batalha" onde se travam lutas intermináveis.

Respeitar a individualidade do outro

Um dos erros que muitos casais cometem, às vezes até sem perceber, é confundir intimidade com invasão de privacidade. Não cometa esse equívoco, pois isso pode trazer sérios danos ao seu casamento. Mesmo dentro de um relacionamento conjugal, cada cônjuge deve respeitar a individualidade do outro.

Por exemplo, o marido não deve abrir um presente destinado à sua esposa; a mulher não deve abrir a correspondência endereçada ao marido. Quando coisas desse tipo acontecem, configura-se a invasão de privacidade. Em um casamento em que não há respeito entre os cônjuges pela individualidade de cada um, a unidade passa a ser doentia e sufocante.

Respeitar o histórico de vida do outro

Uma prática simples, que todo casal deveria se empenhar em desenvolver, é conhecer e respeitar o histórico de vida do cônjuge. Esse é um fator determinante para que marido e mulher se tornem não só parceiros, mas também agentes de cura um do outro. Você sabia que no íntimo de muitos adultos pode estar escondida uma criança traumatizada, machucada, frustrada e rejeitada que precisa de libertação e cura? É um privilégio poder estar tão perto da alma de alguém, e isso por si só já deveria ser encarado com o máximo respeito.

O casamento não é apenas uma escola, mas também um lugar de acolhimento. Um cônjuge se torna um agente capaz de curar o outro sempre que procura ouvir com sensibilidade, compreender antes de ser compreendido, perdoar sem primeiro ser perdoado e enxergar o outro na perspectiva da graça de Deus. O ambiente da sua casa é o local onde a cura acontece.

Respeitar os sonhos do outro

O fato de uma pessoa se casar com outra não significa que ela abriu mão dos sonhos que sempre carregou consigo pela vida inteira. É preciso que, no decorrer da vida conjugal, o casal aprenda a desenvolver um profundo respeito aos sonhos um do outro. E respeitar os sonhos do cônjuge significa contribuir efetivamente para que eles se tornem realidade.

A esposa "parteira" é aquela que não economiza esforços para dar à luz os sonhos do marido.

Para ser um facilitador da realização dos sonhos do seu cônjuge é necessário que você demonstre envolvimento, ouvindo, motivando, cooperando, dando ideias, orando junto, torcendo etc. Todo marido quer ter ao lado uma esposa que seja "parteira". A esposa "parteira" é aquela que não economiza esforços para dar à luz os sonhos do marido, fazendo com que eles se concretizem e ganhem vida. Já a esposa "coveira", por causa do seu pessimismo, desmotiva o marido e o leva muitas vezes a enterrar os seus sonhos.

Respeitar as emoções do outro

Uma atitude que cada marido e cada mulher deveriam desenvolver é importar-se com o que é importante para o outro. O que para um pode não significar muito, para o outro pode ser algo fundamental.

Não é porque não tenho tanto apego aos animais domésticos que vou impedir ou desrespeitar a minha esposa, que curte, gosta e cuida muito bem dos animais. A morte de um bichinho de estimação pode não representar muito para um, mas para o outro pode ser motivo de choro, lágrimas e um tempo de tristeza e luto.

Quando num casal se respeitam as emoções um do outro, percebe-se que eles desenvolveram um casamento sadio. Qualquer casa se torna um lugar prazeroso quando as pessoas se respeitam mutuamente. O escritor Hal Urban, em seu livro *As grandes lições da vida,* apresenta sete resultados que podemos obter pelo simples fato de tratarmos as pessoas com respeito:

a. Desenvolvemos hábitos e habilidades sociais que aumentam nossa eficiência.
b. Fazemos com que as outras pessoas se sintam bem.
c. Conquistamos o respeito dos outros.
d. Estabelecemos bons relacionamentos.
e. Somos mais bem-tratados pelas outras pessoas.
f. Aumentamos nossa autoestima.
g. Construímos uma reputação sólida.

São do conde de Nightingale as palavras: "Nossas recompensas na vida serão sempre na exata proporção da consideração que mostramos pelos outros." Essa frase é um lembrete que todo casal deveria se preocupar em manter afixado na parede simbólica da sua mente.

Perguntas para um autoexame sobre respeito

Procure responder com sinceridade às perguntas abaixo:

- Você é uma pessoa que procura respeitar o seu cônjuge?
- No seu relacionamento conjugal, o respeito é um valor que os dois preservam a todo custo?
- Que nota você daria para o seu cônjuge nessa área?
- Em que você pode mudar a fim de que os dois cresçam nessa área?

Para complementar o entendimento do respeito como valor imprescindível para a vida conjugal, sugiro a leitura devocional de 1Coríntios 13. Procure ler e meditar pedindo orientação ao Espírito Santo para ajudá-lo a compreender e a colocar em prática o amor que cuida e respeita.

Avançando um pouco mais no quesito respeito, no próximo capítulo abordamos o amor às tradições como uma forma de valorizar e preservar a cultura familiar.

Capítulo 4

Amor às tradições

VALORIZE E PRESERVE AS TRADIÇÕES NA SUA FAMÍLIA

[...]E cantavam em alta voz: "Digno é o Cordeiro que foi morto de receber poder, riqueza, sabedoria, força, honra, glória e louvor!"

Apocalipse 5:12

Quando Deus entregou a Lei a Moisés, no monte Sinai, contendo os preceitos que deveriam ser seguidos pelo seu povo, ele determinou também vários ritos e festas. Essas celebrações eram uma materialização constante e agradável de princípios estabelecidos por Deus e serviam para relembrar acontecimentos marcantes na história de Israel.

No Apocalipse, vemos os seres celestiais em atitude de reverente adoração, trazendo à memória o trabalho de Jesus na cruz. Esse gesto registrado por João tem por objetivo explicar a razão pela qual o Filho Unigênito do Pai é digno de ser tão honrado e adorado através dos séculos.

Precisamos aprender a amar as tradições da família, para que essa característica de Deus seja revivida na nossa casa.

Da mesma forma, também precisamos aprender a amar as tradições da família, para que essa característica de Deus seja revivida na nossa casa. No decorrer dos anos, a família constrói uma cultura própria, cujo espírito se revela, por exemplo, na maneira como seus membros escolhem gozar férias, nas atividades que escolhem realizar durante os fins de semana e na forma como comemoram o aniversário de cada um. São essas e outras particularidades que tornam cada família singular.

Mas como definir o que é tradição? Compilando a definição do dicionário *Michaelis*, "tradição" é o ato de transmitir ou passar adiante oralmente lendas, fatos, doutrinas, costumes, hábitos etc., durante um longo espaço de tempo. Tudo o que se sabe vem através da reprodução de costumes e da transmissão de conhecimentos de uma geração para outra.

As tradições representam o espírito da *cultura* de uma família. Podemos definir "cultura" como um conjunto de padrões de comportamento. Fazem parte das tradições familiares os rituais, as comemorações e os eventos importantes com os quais toda a família se envolve e participa. O livro de Salmos retrata bem essa transmissão de valores pela tradição familiar:

> O que ouvimos e aprendemos, o que nos contaram nossos pais, não o encobriremos a seus filhos; contaremos à vindoura geração os louvores do Senhor, e o seu poder, e as maravilhas que fez. Ele estabeleceu um testemunho em Jacó, e instituiu

> uma lei em Israel, e ordenou a nossos pais que os transmitissem a seus filhos, a fim de que a nova geração os conhecesse, filhos que ainda hão de nascer se levantassem e por sua vez os referissem aos seus descendentes...
>
> Salmo 78:3-6, ARA

Toda família, independentemente do nível financeiro ou do grau de instrução, tem suas tradições. Seja um ritual que acontece todos os dias, seja um costume que se manifesta apenas nas férias, uma vez por ano, cada família tem peculiaridades que as caracterizam.

Talvez você esteja se perguntando qual é a importância de preservar as tradições na família. O escritor Stephen R. Covey aborda o tema com muita propriedade e acerta ao afirmar:

> As tradições nos ajudam a compreender quem somos: que somos parte de uma família que constitui uma unidade forte, que nos amamos mutuamente, que respeitamos e honramos uns aos outros, comemoramos o aniversário de cada um e os eventos especiais, e criamos memórias positivas para todos. Por meio das tradições, reforçamos a conexão da família. Proporcionamos uma sensação de integração, de amparo, de compreensão. Nós nos comprometemos uns com os outros. Todos fazemos parte de algo que é maior do que cada um de nós sozinho. Expressamos e mostramos lealdade uns com os outros. Necessitamos ser necessários, precisamos ser desejados e ficamos felizes por fazer parte da família. Quando pais e filhos cultivam tradições, estas renovarão a energia emocional e constituirão um elo positivo com o passado.[1]

[1] *Os sete hábitos das famílias altamente eficazes*, p. 404.

As tradições e a identidade familiar

As tradições têm a ver com a identidade da família e são fundamentais para manter seus membros unidos. Isto porque elas nutrem a nossa consciência coletiva, a nossa vontade social, a nossa consciência social e o nosso senso de propósito da família.

Nas próximas páginas deste capítulo, tomando o meu próprio lar como exemplo, levanto algumas tradições importantes preservadas na minha família e, em alguns desses tópicos, proponho questões para reflexão que podem ajudá-lo a compreender melhor o sentido e a importância das tradições familiares:

Todos à mesa na hora das refeições

Está provado que as famílias bem-sucedidas têm como hábito fazer as refeições *com todos sentados ao redor da mesa.*

Nasci em um lar em que meu pai, como o sacerdote da casa, sempre nos ensinou a fazer nossas refeições à *mesa* e nunca na sala de televisão ou no quarto. Está provado que as famílias bem-sucedidas têm como hábito *fazer as refeições* com todos sentados ao redor da mesa. Uma pesquisa recente revelou que apenas a metade dos nossos adolescentes tem o hábito de jantar regularmente com os pais, o que pode explicar, em parte, o preocupante distanciamento dos jovens das suas raízes.

O momento da refeição pode ser um tempo importante de renovação para pais e filhos, por isso o casal deve organizar refeições significativas, para que a família tenha um tempo sem televisão, celular, computador etc. Esta prática fará com que a *mesa* se torne *um altar* para a *comunhão e a conexão* da família. Vejamos o que pode acontecer ao redor da mesa quando os membros de uma família nutridora se reúnem:

- Podem contar o que aprenderam e experimentaram durante o dia.
- Conseguem compartilhar testemunhos das vitórias alcançadas no mês.
- Podem dar boas gargalhadas ao ouvir fatos engraçados do cotidiano da família.
- Têm a oportunidade de fazer comentários sobre assuntos relevantes que estão na mídia.
- Os que estão na escola podem compartilhar um pouco sobre a aula do dia anterior.
- Os que participaram do culto no domingo à noite comentam sobre o que acharam da mensagem do pastor.

A verdade é que a mesa em que fazemos as refeições oferece uma oportunidade perfeita para criar uma tradição renovadora por causa da comida, já que o alimento é uma necessidade básica diária de todo ser humano. Bem-aventurada é a família que faz do momento das refeições um tempo de nutrição da alma um do outro.

Todos os casais deveriam se dedicar a desenvolver hábitos que sejam positivos dentro da cultura familiar.

Eu e Rousemary, desde que nos casamos, levamos muito a sério esse tempo de comunhão e renovação, e não permitimos que os nossos filhos almocem ou jantem com o prato na mão diante da TV ou do computador. Todos os casais deveriam se dedicar a desenvolver hábitos que sejam positivos dentro da cultura familiar, e fazer refeições com todos à mesa é um deles.

Perguntas para reflexão:

- Na sua casa é comum que todos se sentem à mesa para as refeições?
- Quantas vezes na semana essa reunião acontece?

Oração antes das refeições

O lar deve ser uma escola em que todos possam aprender os valores morais e espirituais que irão nortear a vida de cada um. A reunião da família em torno da mesa é o melhor momento para que esse aprendizado aconteça. É quando se está em torno da mesa que a família relaxa, abre o coração, ora, sorri, compartilha ideias, opiniões e conselhos.

Eu trouxe como tradição da minha família de origem o hábito de orar a Deus antes de qualquer refeição, expressando gratidão pelo alimento. Essa prática, por mais simples que possa parecer, me ensinou lições que ficarão em meu coração por toda a vida. Posso dizer que a mesma coisa está acontecendo com os meus filhos. A oração antes das refeições nos ensina as seguintes lições:

- Somos dependentes de Deus.
- A gratidão é a memória do coração.
- Devemos ser generosos com os que nada têm.
- A provisão de hoje é fruto do favor divino.

Férias familiares em janeiro

Nenhum outro tempo serve para renovar a família nos aspectos mental, espiritual, social e emocional como o período anual de férias. Eu e Rousemary, desde que nos casamos, a cada ano fazemos uma *pausa* para termos um período de férias, que geralmente acontece no mês de janeiro. Com a chegada dos filhos, nossas viagens ficaram ainda mais interessantes, e esse período ganhou cada vez mais importância como tradição familiar.

Planejar, sonhar e pensar nas férias é muito bom para *renovar* a família. Também é ótimo lembrar o que aconteceu na última viagem e rir dos momentos engraçados que compartilhamos. Em quase 25 anos, foram muitas as memórias positivas geradas no coração da nossa família. Cultivar esse hábito ajuda a desenvolver uma cultura familiar nutridora. Lembre-se que qualquer viagem pode constituir uma grande experiência renovadora para a família.

Perguntas para reflexão:

- É comum você tirar férias anuais com a família?
- Qual a viagem que mais marcou a sua família positivamente?
- Na sua família de origem, tirar férias fazia parte das tradições familiares?

Férias sem os filhos

Quando chega o mês de julho, eu e a minha esposa saímos de férias sem os filhos. Isso já é tradição. Todo casal precisa de um tempo a sós, ainda que seja apenas por um fim de semana, num lugar aconchegante, para renovar o romantismo, namorar, curtir um o outro, andar por caminhos que nunca andaram, abrir o coração etc.

Já faz alguns anos que eu e Rousemary reservamos alguns dias no mês de julho para um tempo de *férias do casal*. Em janeiro tiramos férias com toda a família, e às vezes levamos até algumas companhias que não fazem parte do círculo familiar, mas em julho somos só "eu e ela". Os filhos ficam em casa. Conheço muitos casais que se privam de sair sozinhos. Algumas das desculpas que eles dão são:

- As crianças não ficam com ninguém.
- Não temos com quem deixar os nossos filhos.
- Nosso problema é o cachorro ou o gato, não temos com quem deixar.
- Não consigo sair sem os meus filhos, jamais faria uma coisa dessas.
- Já ficamos muito tempo juntos, para que viajar?

Infelizmente, muitos casais só se dão conta tarde demais de que abriram mão de algo que é extremamente relevante e necessário no processo de renovação do casamento. Por falta de criatividade, acabam negligenciando um aspecto importante do relacionamento conjugal, que é a intimidade desfrutada a dois. Quando há vontade e atitude, porém, o casal consegue dar um jeito de eliminar os obstáculos, e as coisas acontecem para o bem do relacionamento.

Os filhos precisam aprender desde cedo sobre a importância de os pais terem o seu espaço, o seu tempo e as suas férias.

Nós temos três filhos — Letícia, Douglas e Pedro —, e eles nunca serviram de impedimento para as nossas viagens. Os filhos precisam aprender desde cedo sobre a importância de os pais terem o seu espaço, o seu tempo e as suas férias. O cônjuge não pode perder o seu parceiro de vista por causa de um apego doentio aos filhos.

Perguntas para reflexão:

- Você costuma reservar um tempo para eficar a sós com o seu cônjuge, sem os filhos?
- Você conversa com os filhos sobre a importância de vocês terem esse tempo exclusivo para a renovação do casamento?
- Na vida dos seus pais havia esta preocupação?

Jantar fora uma vez por semana

Pelo menos um dia na semana minha família sai à noite para fazer um lanche ou jantar fora. O casal deve criar oportunidades para que a família esteja reunida também fora do ambiente doméstico, num local em que pais e filhos possam fortalecer os laços familiares que os unem.

Lanchar em algum lugar escolhido pelo cônjuge ou por um dos filhos pode ser um tempo muito agradável de comunhão e renovação familiar. Com frequência peço que um dos membros da família escolha o local onde a família vai lanchar ou jantar. Saímos para "jogar conversar fora", rir e ter momentos de distração e lazer na companhia uns dos outros. Isto tem feito um bem enorme a todos nós.

Participação no culto dominical

Todos os domingos minha família participa do culto na igreja. Venho de uma família de nove filhos. Quando nasci, meus pais já eram cristãos piedosos e muito envolvidos nos serviços e nas atividades da igreja. Por isso, estar presente no templo todos os domingos, pela manhã e à noite, era algo tradicional e obrigatório para todos nós. Meu pai era um dos oficiais da congregação, e, como tal, ele e a família tinham de ser o exemplo para os demais membros da igreja.

No entender do meu pai, a escola dominical pela manhã era uma espécie de oficina teológica que fornecia a formação religiosa que todos os filhos precisavam ter. Nós não podíamos deixar de ir. Apesar da rigidez nas cobranças, sou agradecido a Deus e a meus pais por ter sido criado desta forma, pois a intenção do meu pai era que os seus filhos crescessem na graça e no conhecimento do Senhor Jesus e, além disso, que fossem discípulos piedosos.

Réveillon na igreja

A passagem de ano acontece com toda a minha família reunida na igreja. Como já disse, meus pais, como cristãos fervorosos que eram, muito cedo nos ensinaram que era muito importante terminar um ano e começar o novo na igreja e com toda a família. Na concepção deles, o momento da transição de um ano para o outro era uma oportunidade ímpar para agradecer pelas bênçãos alcançadas e pedir a Deus um novo ano próspero, feliz e abençoado.

Tudo o que aprendemos com os nossos pais e que foi bom deve ser preservado e mantido na família que viermos a formar.

Durante toda a minha vida isso foi uma realidade, que, no fim das contas, só me fez muito bem. Por esse motivo eu trouxe essa tradição para a minha família, e hoje o resultado tem sido o mesmo na vida dos meus filhos. Tudo o que aprendemos com os nossos pais e que foi bom deve ser preservado e mantido na família que viermos a formar. Passar de um ano para o outro orando, agradecendo e rogando ao Senhor a sua bênção é uma prática altamente benéfica, capaz de fazer toda a diferença na vida de qualquer família.

Perguntas para reflexão:

- Onde você e sua família festejam a passagem de ano?
- É comum a família se reunir para agradecer pelas bênçãos recebidas e pedir a Deus um ano novo abençoado?
- Se na sua família hoje não há este costume, você considera importante inseri-lo esta prática como parte das tradições familiares?

Ceia de Natal em família

Todos os anos, a ceia de Natal é celebrada com toda a família reunida na casa da vovó ou na de um dos filhos. A confraternização de Natal é outro momento importante para a renovação da família que não deveria ser negligenciado. O clima natalino é propício para reencontros, pedidos de perdão, reconciliação e agradecimentos. É um tempo em que as pessoas se dedicam a presentear o cônjuge, os filhos, os pais, os irmãos e os demais membros da família.

O clima natalino é propício para reencontros, pedidos de perdão, reconciliação e agradecimentos.

A troca de presentes, em muitas famílias com a brincadeira do "amigo secreto", contribui para a renovação da consciência coletiva da família. Essa é uma tradição importante, que deveria ser preservada e cultivada em todas as famílias. A confraternização própria dessa festividade tipicamente cristã promove a renovação e o fortalecimento dos laços familiares, aproxima os que estão distantes e nutre a alma do casal e dos filhos.

Perguntas para reflexão:

- Como e onde acontece a ceia de Natal na sua família?
- Como você descreveria o clima familiar nessa ocasião?

Celebração dos aniversários

O aniversário de cada membro da nossa família é comemorado com festa, ainda que só a família participe. Certo dia, quando terminei uma palestra sobre a importância do toque afetuoso na relação familiar, uma jovem de 17 anos me procurou e disse: "Eu nunca recebi um abraço do meu pai, e não me lembro se algum dia ele me deu parabéns no dia do meu aniversário." Ela me contou isso com lágrimas banhando o seu rosto. Infelizmente, muitas famílias não dão a devida importância ao ato de celebrar mais um ano de vida de uma pessoa.

Comemorar um aniversário é comemorar a existência de alguém. É a oportunidade que o cônjuge, os filhos e os pais têm para expressar amor, gratidão, reconhecimento e apreciação por aquele membro da família que lhes é tão importante, estreitando os laços, fazendo um investimento significativo no coração do outro.

Reconhecer a importância e o valor de uma pessoa contribui para elevar sua autoestima.

Em nossa família comemoramos com festa, ainda que simples e só entre nós, o aniversário de todos. Reconhecer a importância e o valor de uma pessoa contribui para elevar sua autoestima, e isso desencadeia um processo de bênção que não se pode dimensionar.

Perguntas para reflexão:

- Em sua família de origem, eram comuns as comemorações de aniversário? O que acontecia nessas ocasiões?
- Hoje, como você comemora o aniversário do cônjuge e dos filhos?

Orientações para fortalecer a tradição familiar:

- Faça dos momentos de refeição com toda a família em torno da mesa um tempo de renovação espiritual e emocional. Ore, leia um versículo da Bíblia ou cante louvores a Deus.

- Faça uma reserva financeira com o propósito de, pelo menos uma vez por ano, tirar alguns dias de férias com toda a família. Querer é o primeiro passo para que as coisas mudem.
- Reserve um fim de semana na sua agenda a cada sessenta dias para sair com o cônjuge apenas para namorar, curtir o casamento, renovar a aliança etc. Deixe os filhos na casa de algum parente ou amigo que se disponha a cuidar deles enquanto vocês cultivam o relacionamento conjugal.
- Procure criar situações para que todos os membros da família estejam fazendo coisas juntos.
- Invista no crescimento espiritual da sua família valorizando e preservando as tradições religiosas.
- Celebre o aniversário de cada membro da família com criatividade e muita alegria, pois todos nós precisamos desse reconhecimento. Lembre-se: celebrar um aniversário é dizer à pessoa quanto ela é importante.
- Procure fazer das datas festivas um tempo de renovação da comunhão familiar. O Natal nos oferece esta oportunidade de aproximação, perdão e reconciliação. A Páscoa nos une em torno daquele que se sacrificou por nós e nos deu o exemplo do serviço e do amor ao próximo.

Nunca é demais lembrar que todos fazemos parte de algo muito maior do que cada um de nós é sozinho. Em família, expressamos lealdade uns para com os outros, e isso nos assegura que não estaremos sozinhos quando vierem tempos difíceis. Existe em nós uma vontade profunda de sermos necessários, desejados, e ficamos felizes por fazer parte de um grupo familiar.

Quando pais e filhos preservam e cultivam tradições, eles renovam a energia emocional de todos os membros da família e estabelecem um elo positivo com o passado. Tudo isso fortalece o senso de unidade familiar. As tradições são expressões celestiais que perpetuam e contemplam o que fizeram os nossos pais e os nossos avós. Podemos e devemos criar as nossas próprias tradições no ambiente familiar, buscando no céu o modelo de convivência e respeito.

Quanto mais tempo passamos juntos, mais nos tocamos, ora de modo agradável, ora provocando feridas. Por isso, é importante conhecer onde começam os meus direitos e até onde posso agir sem comprometer ou irritar o meu familiar. Esse é um desafio constante, e seus princípios podem ser conhecidos ao entendermos o significado de limite. Esse é o tema do próximo capítulo.

Capítulo 5

Amor e limites

NO CÉU OS LIMITES SÃO RESPEITADOS

O arcanjo Miguel, quando contendia com o diabo, e disputava a respeito do corpo de Moisés, não ousou pronunciar juízo de maldição contra ele; mas disse: O Senhor te repreenda.

Judas 9, ARC

O aprendizado sobre limites passa necessariamente por uma postura de determinação, por isso, recomendo: aprenda a dizer não sempre que necessário. O seu relacionamento conjugal e a sua família são bens preciosos que devem ser protegidos contra a invasão dos intrusos. O ser humano está acostumado a conviver com limites, mas o que muita gente não sabe é que eles são vitais também no que se refere a relacionamentos.

O dicionário *Michaelis* define "limite" como uma linha ou um ponto divisório entre determinada extensão superficial ou terreno e o espaço superficial ou terreno adjacente; linha de demarcação. Originária do latim *limes*, a palavra limite significa o resultado da demarcação por meio da medição (*limitatio*). Assim, podemos afirmar que as principais funções dos limites são *separar*, *proteger* e *distribuir* o espaço da terra entre os seres humanos. A Bíblia também faz referência a essa linha demarcatória: "Não removas os limites [marcos] antigos que fizeram teus pais" (Provérbios 22:28 ARC, inserção do autor).

O sucesso em todas as áreas da vida depende em grande parte da maneira como estabelecemos e respeitamos os limites.

O sucesso em todas as áreas da vida depende em grande parte da maneira como estabelecemos e respeitamos os limites. A palavra-chave para estabelecer limites é não. Jesus ensinou a esse respeito quando nos orientou: "Seja a tua palavra: sim, sim; não, não. O que disto passar vem do maligno" (Mateus 5:37 ARA). Isso significa que devemos ser firmes quando assumimos qualquer posição. Sempre que nos mostramos vacilantes, estamos abrindo uma porta para a ação do maligno em nossa vida.

O apóstolo Paulo também tocou no assunto: "Não ultrapasseis o que está escrito; a fim de que ninguém se ensoberbeça a favor de um em detrimento de outro" (1Coríntios 4:6 ARA). Os limites, além de separar e proteger, ajudam a nos definir, ao demonstrar *o que sou e o que são os outros*.

Um limite mostra onde termino e onde alguém começa, estabelecendo fronteiras distintas e transmitindo a ideia de posse, de propriedade. É por isso que a lei protege os limites de propriedade e, consequentemente, o ser humano é protegido em sua integridade. É bom lembrar que os limites externos protegem também as nossas emoções, dando-nos segurança.

O que acontece quando o ladrão arromba a porta da casa, entra, revira tudo, mas não leva nada? Qual é o sentimento que fica no coração da família? Eu já experimentei essa sensação na minha casa. O fato de saber que os limites foram desrespeitados e violados por alguns delinquentes deixou em nós uma enorme sensação de insegurança, a ponto de mudarmos não só da casa, mas também da cidade.

A violação dos limites pode nos afetar emocionalmente. É interessante notar que existe diferença entre limites violados sem permissão e limites que tiveram autorização para ser ultrapassados. Neste último caso, consentimos que outros entrem e se comportem como se fossem donos do nosso espaço.

Mas, afinal, por que é tão importante assumirmos o que é nosso? A consciência de que sou proprietário de alguma coisa e, por isso, posso e devo assumir a responsabilidade sobre o que é meu gera e traz *liberdade* para a minha vida. No fim das contas, sou livre para fazer o que quiser com aquilo que me pertence. Ao assumir a responsabilidade pela minha vida estou diante de um leque de opções. Contudo, *se* não sou *dono* da minha vida, minhas escolhas e opções ficam muito limitadas.

Os escritores Anselm Grün e Ramona Robben, ao abordarem a importante questão dos limites, tratam de maneira interessante o equilíbrio entre proximidade e distância. Ao comentarem o episódio narrado em Gênesis 13, em que Abraão e Ló, seu sobrinho, enfrentam problemas na área dos limites, eles escrevem:

> Proximidade demais cria desavenças até entre irmãos. Por mais que se relacionem bem, conflitos surgirão caso vivam mais próximos do que deveriam um do outro [...]. A relação entre proximidade e distância na convivência estende-se a questões espaciais bem práticas, como a possibilidade de recolhimento para as próprias quatro paredes. Uma casa barulhenta demais, com quartos insuficientemente isolados em que se pode ouvir constantemente a tosse do vizinho, é um exemplo de *proximidade nociva*, que provocará rapidamente agressividade. Apenas quando é possível se recolher, o estar junto é prazeroso. Necessita-se sempre das duas coisas: proximidade e distância; atrito e recolhimento; compromisso e liberdade; solidão e comunidade.[2]

---

[2] *Estabelecer limites, respeitar limites*, p. 20.

Algumas perguntas podem ajudá-lo a avaliar se os limites na sua vida estão colocados no lugar certo e da maneira adequada.

Dominar a si mesmo é o maior desafio que qualquer pessoa pode enfrentar.

1. Você diz não aos seus próprios desejos?

Dominar a si mesmo é o maior desafio que qualquer pessoa pode enfrentar. Quando você diz não aos seus próprios desejos significa que a disciplina é algo determinante na sua vida, e isso, sem dúvida, pode levá-lo ao sucesso. Os limites começam dentro de você. Quem não é capaz de dizer não a si mesmo nunca será apto a dizer não aos outros.

2. A relação com a sua família de origem tem impedindo o seu crescimento em diversas áreas?

Quando o relacionamento com a família de origem começa a concorrer com o casamento, nota-se uma clara indicação de que se trata de uma relação doentia que precisa ser repensada. Em outras palavras: faltam limites. Nenhum outro relacionamento pode estar acima do compromisso entre marido e mulher, a não ser, é claro, a nossa comunhão com Deus. O pai, a mãe ou os irmãos, por mais queridos que sejam, não podem ocupar o espaço do relacionamento entre o casal. Quando isso acontece, a tendência é que os conflitos e a tensão no casamento aumentem.

3. *Quem manda em casa?*

O princípio de liderança foi estabelecido por Deus para regulamentar a vida comum em família. Quando esse princípio é quebrado, abre-se uma brecha que enfraquece o relacionamento conjugal. O líder é quem define os limites. A esposa com autoridade delegada pelo marido pode também definir limites e cobrar que eles sejam respeitados pelos filhos, pelos empregados e por qualquer pessoa que não pertença ao círculo familiar. É bom que o casal tenha bem claro entre si a função do líder, que é governar, e a da esposa, que é edificar. Quando os papéis estão bem-definidos dentro de uma família, fica mais fácil reconhecer os limites.

Não podemos viver assumindo responsabilidades que não são nossas.

4. *Você sabe o que são padrões infantis de responsabilidade?*

Quando os pais não precisam, mas exigem que o filho adulto assuma a "mochila" que é deles, estamos diante de padrões infantis de responsabilidade. Não podemos viver assumindo responsabilidades que não são nossas. Cuidar de forma responsável daquilo que nos pertence exige tempo, dedicação, atenção, dinheiro e muito esforço. Quando assumimos a "mochila" dos outros, mesmo que seja a dos nossos pais, ficamos sobrecarregados e provocamos um estresse crônico que comprometerá o nosso relacionamento conjugal.

Há pessoas que assumem responsabilidades que são dos pais, dos irmãos, dos amigos, dos vizinhos, da igreja e assim por diante. Se você tem o costume de assumir responsabilidades que não são suas, saiba que é preciso ter firmeza, coragem, determinação e discernimento para dizer não, sempre que for necessário. Esta é a chave dos limites.

5. ***Sua amizade com alguém está provocando conflitos no seu casamento?***

Um sinal claro de que há problemas de limites é quando o seu relacionamento com determinada pessoa afeta a sua relação com as demais, especialmente dentro da sua casa. Não se pode permitir que qualquer pessoa tenha um poder ou uma influência muito grande sobre a nossa vida.

6. ***Quando você visita a casa dos pais, costuma regressar de lá com um sentimento de depressão?***

Se visitar a casa dos seus pais está fazendo mal a você, isso significa que essa relação pode ter se tornado doentia e precisa ser repensada. Seria bom que cada cônjuge voltasse da casa dos pais melhor, e não pior. Você é dono da sua vida e pode impedir que as pessoas exerçam influências negativas sobre você e sobre o seu casamento. Não se deixe envenenar, não abra o seu coração para conversas que não agregam valor à sua vida.

7. ***Quem manda no seu dinheiro, no seu cartão de crédito e no seu talão de cheques?***

Pessoas que não sabem dizer não e com facilidade emprestam dinheiro, cheques e cartão de crédito sempre estarão sujeitas a pagar dívidas que não fizeram. Infelizmente, muitos casamentos acabam mergulhados em profunda crise por falta de firmeza de maridos e esposas que se mostram incapazes de controlar o que lhes pertence. Saber dizer não sempre que for necessário é um passo fundamental para transformar esse panorama. Assuma o comando da sua vida financeira.

Quando alguém pedir para fazer uma compra no seu nome, porque está sem crédito na praça, diga não. Quem sujou o próprio nome com certeza irá sujar o seu também. Quem empresta dinheiro para um amigo que não paga perde o amigo e o dinheiro. Entre perder o amigo e o dinheiro por dizer sim e preservar o dinheiro e perder o amigo por dizer não, escolha salvar pelo menos o dinheiro. Diga não sempre que for preciso. Assuma o controle daquilo que é seu e que foi conquistado com trabalho e esforço.

8. *Quando você sai com alguém, costuma comprar o que não precisa só porque o outro comprou o que precisava?*

Certo dia minha esposa foi a um shopping com uma senhora que tinha o hábito de induzir as amigas a comprar tudo o que viam e achavam interessante. Ela mesma, porém, nada comprava. Pessoas assim precisam ser tratadas com firmeza, pois facilmente violam os limites e controlam aquilo que é nosso. Chegou um momento em que aquela senhora incomodou tanto que minha esposa lhe disse: "Se você quer comprar, fique à vontade. Não estou precisando e não vim procurar esse produto. Não compro nada apenas porque está em promoção."

Seja firme quando sair na companhia de pessoas dominadoras.

Seja firme quando sair na companhia de pessoas dominadoras. Essa atitude tem um poder pedagógico e, ao contrário do que você possa imaginar, vai fazê-lo ser respeitado, admirado e até imitado.

Por que é difícil dizer não

Muitas pessoas enfrentam grandes dificuldades na hora de estabelecer e proteger seus limites e dizer não. Existem motivos para que isso aconteça. Conheça alguns deles:

- Medo de perder o amor ou de ser abandonado.
- Medo da raiva do outro.
- Medo da solidão. "Se eu disser não, vou perder o amigo."
- Culpa. "Se eu disser não, vou ficar com um sentimento de culpa perturbador."
- Medo de perder o emprego. "Se eu disser não, vão me demitir."
- Excesso de identificação com a frustração dos outros.

Se a sua doação não lhe traz alegria, então é aconselhável que você examine detidamente a motivação do seu coração. Cada pessoa deve saber até onde vão seus limites e os limites dos outros. Ninguém é obrigado a assumir responsabilidades que não são suas.

Há pessoas que assumem os problemas da vida dos pais, dos irmãos, dos filhos adultos, e, em decorrência disso, acabam arruinando o próprio casamento. É ótimo ser solidário com a dor dos nossos parentes e ajudar dentro dos limites do bom senso. Afinal, a Bíblia recomenda que levemos as cargas uns dos outros. Assumir a vida dos parentes, porém, é péssimo para todo mundo.

Veja a seguir uma pequena lista do que é necessário para estabelecer limites de forma eficiente:

- Seja líder de si mesmo. Assuma o comando da sua vida.
- Tenha compromisso com uma ordem de prioridades.
- Nunca sacrifique o que é importante em nome do urgente.
- Não confunda generosidade com abuso em nome do amor.
- Não permita que outras pessoas assumam o governo da sua vida determinando o que você deve ou não deve fazer.
- Não tome decisões com base nas emoções. Use a razão.
- Em caso de dúvida, procure orientação com um conselheiro mais experiente que você a respeito de limites.

É sempre bom ter em mente a história de Adão e Eva. Eles perderam o paraíso porque não respeitaram o limite estabelecido por Deus.

Liderar a si mesmo é o grande desafio das pessoas que desejam uma vida de sucesso na perspectiva do Eterno, e isso tem a ver com limites. É sempre bom ter em mente a história de Adão e Eva. Eles perderam o paraíso porque não respeitaram o limite estabelecido por Deus. Quando quebramos limites, perdemos muito daquilo que Deus nos deu.

Se queremos o padrão do céu em nossa casa, precisamos ser como os anjos. Eles sabem exatamente até onde vai a sua autoridade e respeitam todos os limites estabelecidos por Deus.

Não é à toa que, no céu, tudo funciona tão bem. Se a sua casa ainda não está tão parecida com o lugar de habitação de Deus, você precisa mudar. Mais que isso: você precisa querer mudar, porque o desejo de mudar é, em si, uma expressão de amor. Tratamos desse tema no capítulo a seguir.

Capítulo 6

Amor como desejo de mudar

NINGUÉM PODE DIZER QUE AMA SE NÃO DESEJA MUDAR

Não se amoldem ao padrão deste mundo, mas transformem-se pela renovação da sua mente, para que sejam capazes de experimentar e comprovar a boa, agradável e perfeita vontade de Deus.

Romanos 12.2

Para alcançar o ideal celeste, precisamos buscar a perfeição do modelo do qual estamos muito distantes. Para que isso aconteça é necessário mudar. Entretanto, mudar alguma coisa dentro de nós é sempre um grande desafio, porque mexe em áreas que na maioria das vezes não queremos que ninguém toque.

A pergunta-chave quando refletimos sobre este tema é: por que todos nós relutamos tanto em mudar?

A pergunta-chave quando refletimos sobre este tema é: *por que todos nós relutamos tanto em mudar?* A resposta parece simples mas não é, pois, para que haja mudança verdadeira, é necessário ter *reconhecimento (autocrítica)*, *renúncia*, *perseverança*, *disciplina* e *coragem*. E tudo isso só é possível se houver *humildade*.

O casamento em si já exige de cada cônjuge mudanças internas significativas, porque não há como manter um relacionamento a dois de forma séria vivendo como se fosse uma pessoa solteira. Certo dia, durante um seminário que tratava sobre o tema "Família", um senhor casado me abordou e disse:

— Como marido e como pai, sou nota dez. Vim até aqui apenas para acompanhar minha esposa.

Ao ouvir aquela autoavaliação tão positiva, peguei um questionário que costumo aplicar em meus cursos, cujo objetivo é exatamente identificar "O perfil do marido ideal". Pedi a ele que respondesse às trinta perguntas, explicando:

— Aqui, as notas vão de zero a dez. Se você tirar de oito para cima, está liberado para ficar na piscina do hotel e não vai precisar assistir a nenhuma palestra, pois estará, sim, muito bem-classificado.

Ele pegou o questionário e se pôs a responder às perguntas. Quando terminou e conferiu a pontuação, veio até mim e disse:

— Pastor, o senhor precisa orar por mim. Tirei nota três.

Todos nós estamos em processo de cura e de libertação. Não existe nem sequer uma pessoa que possa dizer: "Eu não preciso melhorar em área alguma." Considerando que todos nós precisamos melhorar em alguma área da vida, leia a lista abaixo e faça um "x" nos itens que você considera uma característica sua que precisa ser devidamente trabalhada:

Como MARIDO, reconheço que sou...

a. Indeciso
b. Insensível
c. Ciumento

d. Passivo
e. Consumista
f. Mal-humorado
g. Crítico
h. "Camaleônico" (mudo o comportamento de acordo com o ambiente)
i. Explosivo
j. Brincalhão (brinco o tempo todo)
k. Democrático (sempre transfiro responsabilidades)
l. Preguiçoso
m. Liberal
n. Inflexível
o. Agressivo
p. Perfeccionista
q. Desorganizado
r. Viciado em trabalho
s. Pessimista
t. Inseguro
u. Impaciente
v. Desligado
w. Indisciplinado

Como ESPOSA, reconheço que sou...

a. Insubmissa
b. Dominadora
c. Desleixada
d. Consumista
e. Mal-humorada
f. Preguiçosa
g. Passiva
h. Ansiosa
i. Faladeira

j. Autoritária
k. Ciumenta
l. Passeadora (gosto de "bater perna")
m. "Camaleônica" (mudo o comportamento de acordo com o ambiente)
n. Vaidosa ao extremo
o. Eterna descontente
p. Perfeccionista
q. Desorganizada
r. Viciada em trabalho
s. Pessimista
t. Insegura
u. Impaciente
v. Desligada
w. Indisciplinada

O primeiro passo a ser dado para que as mudanças necessárias aconteçam é reconhecer em que área precisamos mudar.

O primeiro passo a ser dado para que as mudanças necessárias aconteçam é reconhecer *em que área* precisamos mudar. Minha esposa e eu aprendemos logo no início da nossa caminhada conjugal, há quase 25 anos, que o segredo para se construir um casamento duradouro e feliz é manter-se sempre aberto às mudanças.

O casamento pode nos libertar de nós mesmos

Quando uma pessoa se casa, acaba levando consigo aspectos negativos, como traumas da infância e vícios, além de uma bagagem emocional e espiritual adquirida e desenvolvida na família de origem. Dentro dessa "mochila" que cada um traz da casa dos pais há muita coisa boa que deve ser preservada, porém, há outras tantas ruins que devem ser eliminadas o mais rápido possível. Isso faz parte do processo de libertação.

A forma como você foi criado dentro do seu núcleo familiar, isto é, as suas referências paterna e materna e o que você ouviu e viu desde criança, passando pela adolescência, tudo isso acabou moldando a sua forma de pensar e de agir.

Se a família de origem de um dos cônjuges era disfuncional, e o padrão seguido era ruim, esses valores foram internalizados, e acabaram determinando o comportamento na vida adulta. Eis a razão pela qual na "escola" chamada casamento ambos, marido e mulher, têm de *substituir* o que foi aprendido de forma inadequada por aquilo que é considerado *certo*, *justo* e *honesto*.

O comportamento e o estilo de vida de uma pessoa só mudam quando há mudança de mentalidade.

O comportamento e o estilo de vida de uma pessoa só mudam quando há *mudança de mentalidade*. Tudo começa a partir na maneira *como pensamos*. Não há um homem ou uma mulher que possa dizer: "Eu me casei com uma pessoa completamente liberta, curada e perfeita."

O casamento é a união entre duas pessoas pecadoras, limitadas e cheias de imperfeições. Sabemos que durante o namoro, o período de noivado e também no início do casamento, o casal vive um tipo de *amor-sonho*. Ambos não enxergam a realidade, mas projetam no outro aquilo que idealizaram ou sonharam como parceiro ideal.

Quando estou proferindo minhas palestras, costumo dizer aos casais que *todo quadro a distância é perfeito*, porém, ao nos aproximarmos dele, percebemos algumas imperfeições na obra do artista.

O casamento traz à tona aquilo que estava escondido a distância. À medida que cresce a familiaridade entre o casal, vão também surgindo os defeitos, as manias ficam evidentes e os hábitos negativos começam a se manifestar. Quando isso acontece, é imprescindível a participação do cônjuge no processo de libertação e cura.

Seu cônjuge, seu espelho

Para que haja uma compreensão melhor do que significa um cônjuge ser um espelho para o outro, vamos imaginar uma situação que talvez já tenha acontecido com você. Dois casais estão conversando em um restaurante, e um dos maridos, Francisco, está gripado. De repente, por causa da gripe, Francisco espirra e, sem que ele perceba, uma "meleca" do seu nariz pula direto para o bigode.

A conversa continua e o casal que está sentado em frente vê a meleca grudada no bigode do Francisco. Eles se olham, mas não falam nada, talvez porque não haja intimidade suficiente. Todos viram a meleca, menos Francisco. De repente, a esposa dele, Tânia, percebe e logo toma uma atitude para solucionar o problema. Ela tira da bolsa um lenço de papel, pede licença ao marido e, delicadamente, limpa a meleca. Só então Francisco percebe que estava com o bigode "melecado".

Talvez o leitor esteja se perguntando: "O que isso tem a ver comigo?" É simples! Pergunte a si mesmo: "Qual é a meleca em meu comportamento que todos enxergam, menos eu? O que há de errado em mim que só eu não consigo perceber?"

A verdade é que, sem o auxílio do cônjuge, não conseguimos enxergar muitas coisas negativas que precisam ser corrigidas em nós.

A verdade é que, sem o auxílio do cônjuge, não conseguimos enxergar muitas coisas negativas que precisam ser corrigidas em nós. Sem essa ajuda, não há crescimento, libertação e cura.

Ao discorrer sobre essa particularidade do casamento, o casal de especialistas em relacionamento Les e Leslie Parrott afirma com razão: "Quando falta introspecção na vida a dois, o casal tem um problema chamado 'eu cego'."[3] O "eu cego" é tudo o que o cônjuge sabe a seu respeito que você não sabe, mas precisa saber.

Todos nós temos *pontos cegos* a serem tratados a partir do relacionamento conjugal. Certo dia, quando estávamos em família conversando, Rousemary fez uma observação a meu respeito, dizendo:

— Quando viajo de carro com o Josué, chego com as pernas doloridas de tanto ficar tentando frear o carro junto com ele. Toda hora dá a impressão que o nosso carro vai bater no da frente.

---

[3] *Quando coisas ruins acontecem a bons casamentos*, p. 44.

Em tom de brincadeira, respondi:

— Isso é perseguição de mulher, que não aceita que os homens dirigem melhor.

O tempo passou e, em outro momento, com outras pessoas, a minha sogra resolveu falar sobre a forma como eu dirigia. Ela disse: "Quando eu viajo com o Josué, chego em casa tensa e muito cansada."

Na hora, não falei nada, mas aquilo me levou a pensar. Duas pessoas estavam mostrando em mim a mesma "meleca" que eu não era capaz de enxergar por mim mesmo. Precisei fazer uma autoanálise e cheguei à conclusão de que precisava mudar minha forma de dirigir. Precisava melhorar. Confesso que não estou 100% como deveria estar, mas já evoluí bastante.

Quando mais de uma pessoa aponta em você um comportamento que está incomodando e tornando o relacionamento pesado, tenso e cansativo, a melhor coisa a fazer é *mudar*. Não reconhecer a necessidade de mudança é fazer a opção por uma vida marcada pela mediocridade.

Você aceita com serenidade que o seu cônjuge aponte aquilo que está errado no seu comportamento?

Uma das funções do cônjuge como "agente de cura" é ser o espelho que ajuda o outro a enxergar a "meleca" que ele não é capaz de ver por si próprio. Você aceita com serenidade que o seu cônjuge aponte aquilo que está errado no seu comportamento? Ou você costuma reagir às observações dele com desprezo ou mesmo indiferença? Não é possível haver mudanças significativas em nós se não permitirmos que o nosso cônjuge seja o nosso espelho.

Tipos de mudança

São várias as áreas da nossa vida que podem necessitar de mudanças. Vejamos a seguir alguns de tipos de mudança que podem auxiliá-lo a compreender melhor o assunto e a identificar em que você precisa melhorar.

Mudança de mentalidade

Todas as mudanças na vida de uma pessoa começam na mente. *Desenvolva mentalidade de excelência.* Lembre-se: *Você é aquilo que pensa.* Uma pessoa comprometida com a excelência sempre busca fazer o melhor com aquilo que está ao seu alcance. A felicidade de um casamento também é resultado da entrega mútua dos cônjuges, com o objetivo de escrever uma história que realmente valha a pena ser vivida. Tudo isso passa pela mudança de mentalidade.

Quando se muda a maneira de pensar, consequentemente as atitudes também mudam.

Mudança de atitude

Segundo o dicionário *Michaelis*, atitude é uma norma de proceder ou um ponto de vista, em certas conjunturas; uma disposição interior, uma maneira de enfrentar um problema; é uma afetação do comportamento. Quando se muda a maneira de pensar, consequentemente as atitudes também mudam. Vamos refletir sobre algumas atitudes necessárias:

Atitude positiva diante do que é negativo

Você já observou que as pessoas que pensam positivamente conseguem enxergar melhor que a maioria? Isso tem a ver com *visão*. Pessoas que possuem visão conseguem olhar para o barro nas mãos do oleiro e enxergar o vaso *pronto, acabado*. Por outro lado, pessoas que pensam de forma negativa geralmente desistem com facilidade e não têm paciência para esperar. Isso porque só enxergam o *barro* e não *o vaso pronto*.

Ninguém gosta de andar ao lado de uma pessoa que só pensa no pior, enxergando somente as dificuldades e nunca as possibilidades.

Pensar positivamente faz toda a diferença no seu relacionamento conjugal. Ninguém gosta de andar ao lado de uma pessoa que só pensa no pior, enxergando somente as dificuldades e nunca as possibilidades. Procure desenvolver a *visão* de que Deus está trabalhando por trás de cada problema que surgir e, com certeza, reservou o melhor para aqueles que o buscam e o temem.

Atitudes de vencedor diante dos desafios

Para ser vencedor, é preciso pensar como tal. Veja algumas atitudes de um verdadeiro vencedor:

- O vencedor acredita no seu potencial.
- O vencedor não desiste com facilidade.
- O vencedor se submete à dor da disciplina.

- O vencedor não se deixa dominar pelo desânimo.
- O vencedor é agradecido, mas nunca conformado, sempre quer ir mais longe.
- O vencedor supera o medo com fé e determinação.
- O vencedor não tem apego à zona de conforto.
- O vencedor está sempre pronto para novos desafios.

Atitude de fé diante da desesperança

Ninguém consegue deter uma pessoa cheia de fé. A fé fez o pequeno Davi se tornar maior do que o gigante Golias (ver 1Samuel 16-17). A fé fez três súditos do rei da Babilônia se tornarem indestrutíveis, mesmo sendo lançados em uma fornalha, pois eles não aceitaram trair o seu Deus (ver Daniel 3). A fé fez uma mulher estéril ser mãe de vários filhos por causa de uma intervenção sobrenatural do Criador (ver 1Samuel 1). A fé fez a água ser transformada em vinho só para a festa não parar (ver João 2).

Quando um casal tem sua vida sustentada pela fé no Senhor Jesus, o lar passa a ser um lugar de intervenções divinas extraordinárias. Somente a fé é capaz de vencer a desesperança quando um problema se abate sobre uma família que teme a Deus. Por isso, nunca se esqueça de que a *sua casa deve ser sempre um lugar de esperança, e a sua família deve ser formada por pessoas de fé*!

Atitude de amor diante do ódio

Em uma relação conjugal na qual o amor reina, não deve haver espaço para o *ódio*. O amor é capaz de superar a amargura, o ressentimento, o desejo de vingança, a inveja, o egoísmo e todo tipo de sentimento negativo e prejudicial aos relacionamentos. É impossível ser dominado pelo amor e não ter um coração "perdoador". O amor leva ao perdão, e o perdão aniquila o ódio!

Atitude de graça diante das maldades

O significado da palavra graça é favor *imerecido*. Quando um relacionamento conjugal é marcado pela *graça*, o casal pratica o seguinte princípio ensinado pelo apóstolo Paulo: "Se o seu inimigo tiver fome, dê-lhe de comer; se tiver sede, dê-lhe de beber. Fazendo isso, você amontoará brasas vivas sobre a cabeça dele. Não se deixem vencer pelo mal, mas vençam o mal com o bem" (Romanos 12:20-21).

Quando alguém retribui com um mal maior o mal que lhe foi feito, a situação de desgaste e desentendimento tende a se estender indefinidamente. No casamento, um dos cônjuges precisa ser o primeiro a romper esse círculo vicioso e retribuir uma eventual ofensa com um gesto de bondade.

O que mais está faltando no relacionamento dos casais hoje em dia é graça.

Quem trata as pessoas melhor do que elas merecem o faz movido pelo espírito gracioso de quem foi alcançado por Jesus. O que mais está faltando no relacionamento dos casais hoje em dia é *graça*. Marido e esposa precisam ter a mente de Cristo, pois só assim a graça prevalecerá em qualquer circunstância.

Atitude de coragem diante dos perigos

O medo é um poderoso limitador que impede o ser humano de crescer e atingir novos estágios de amadurecimento na vida. Coragem não é ausência de medo, mas sim a superação do medo. A vitória sobre o medo começa na mente. Se uma pessoa se vê dominada pelo medo exagerado, isso significa que sua mente não está sendo dirigida pelo Senhor.

A Palavra de Deus garante: "Aquele que habita no abrigo do Altíssimo [...] descansa à sombra do Todo-poderoso. [...] Ele o cobrirá com as suas penas, e sob as suas asas você encontrará refúgio; a fidelidade dele será seu escudo protetor. Você não temerá o pavor da noite, nem a flecha que voa de dia" (Salmos 91:1,4-5). O medo gera ansiedade, insegurança e instabilidade; e esses sentimentos, invariavelmente, roubam-nos a paz. O melhor que temos a fazer então é aceitar o gracioso convite do nosso Senhor para encontrar nele o descanso e demonstrar coragem diante dos desafios da vida, conscientes de que ele é o nosso supremo protetor.

Atitude de conciliação diante das intrigas

Num relacionamento conjugal, o marido e a esposa devem ser pacificadores, isto é, *construtores de pontes* que ligam corações eventualmente separados por algum desentendimento. Se em uma família um dos cônjuges se encarrega de desempenhar o papel de pacificador, o processo de restauração do relacionamento jamais é interrompido.

No Sermão do Monte, Jesus fez questão de incluir os pacificadores na lista de bem-aventurados (ver Mateus 5:9). Veja algumas das principais características de um construtor de pontes ou pacificador:

- O pacificador nunca faz pré-julgamento.
- O pacificador ouve com empatia.
- O pacificador sempre responde com base em princípios.
- O pacificador trabalha só com a verdade.
- O pacificador usa apenas as armas do amor.

Mudança de linguagem

A linguagem é outro aspecto que muitas vezes requer mudanças da nossa parte. Uma pessoa comprometida com a excelência deixa transparecer isso na maneira como fala. O mesmo acontece com quem busca sempre aprender para crescer. Quando conversamos com pessoas bem-sucedidas no relacionamento conjugal, percebemos que, em termos de conteúdo, a linguagem delas é rica.

Não é sem motivo que a Bíblia diz que "a boca fala do que está cheio o coração" (Mateus 12:34). Portanto, permita que o seu desejo sincero de mudança interior transborde nas palavras que você profere.

Reflexos da mudança

Quem busca aprimorar o relacionamento e crescer como pessoa deve compreender que o processo de aprendizado e mudança é constante. Quem aprende muda, e só muda quem aprendeu. As mudanças param quando você deixa de aprender. O objetivo do aprendizado é sempre alcançar algum tipo de modificação, seja na nossa mente, seja na nossa maneira de agir.

As mudanças acontecem à medida que a nossa vontade de aprender se mantém ativa.

É impossível crescer sem mudar. As mudanças acontecem à medida que a nossa vontade de aprender se mantém ativa. Depois que uma pessoa se casa, não existe outro espaço melhor para o aperfeiçoamento do que o próprio casamento. É no ambiente do relacionamento conjugal que crescemos e nos aprimoramos como seres humanos, por isso, risque da vida e do seu linguajar a palavra *acomodação*.

Quando entendemos que precisamos mudar e nos empenhamos em demonstrar mudanças significativas nos vários aspectos da nossa vida, não são apenas as nossas atitudes, a nossa mente e a nossa linguagem que se tornam diferentes. Conforme você se empenha em mudar, poderá observar também que:

- O ambiente ao seu redor também muda.
- A qualidade do seu relacionamento melhora de forma significativa.
- Sua vida influencia outros a mudarem também.

Por que muitos maridos e esposas não mudam o seu jeito de ser? A causa primária da resistência às mudanças é o orgulho. É difícil conviver com a ideia de que não somos os maiorais. Não queremos reconhecer que não somos tão perfeitos como acreditamos. Mas aqui cabe a pergunta: você ama o seu cônjuge, os seus filhos, a sua família? Se a sua resposta for *sim*, então desapegue-se do orgulho enganoso e esteja aberto para as mudanças.

O poema a seguir revela a disposição que precisa haver no coração de cada pessoa que entende a importância de ser moldado e transformado pelo poder do Espírito Santo que atua em nós:

Resolvi mudar...
Estávamos no limite,
A água do copo ia entornar,
Só tinha uma saída,
Mudar...

Deixei o orgulho,
Enxerguei-me no espelho.
De agora em diante,
Entrego-me por inteiro
Ao Santo e Eterno Carpinteiro.

Nas mãos de Jesus me lancei
Como madeira que precisava ganhar forma.
Bendito dia da mudança,
Fui tocado, talhado e marcado,
Não dá para esconder,
Ele talhou o meu ser!

Lembre-se: o desejo de mudar é uma grande prova de amor! Quando você se empenha em mudar, está demonstrando seu amor por Deus, por seu cônjuge, por seus familiares e também por si próprio.

No processo de transformação e mudança interior, é preciso também que estejamos atentos ao poder do pecado, que nos arrasta para baixo e nos mantém prisioneiros do velho eu. A vigilância constante para resistir ao pecado é o tema abordado no próximo capítulo.

Capítulo 7

Amor e vigilância

O CÉU FUNCIONA BEM, PORQUE NINGUÉM PECA POR LÁ

Sobre tudo o que se deve guardar, guarda o teu coração, porque dele procedem as fontes da vida.

Provérbios 4:23, ARC

Se existe algo que atrapalha, estraga e atrasa o bom andamento da família e dos seus projetos é o pecado. Alguns deles, emboram requeiram arrependimento e perdão como qualquer pecado, não trazem tantas consequências graves e são "digeridos" sem maiores problemas.

Por outro lado, certos tipos de pecado têm um potencial extremamente devastador e são capazes de trazer angústia, dor e sofrimento não somente para quem pratica esse mal, mas também para todos os que estão por perto — justamente as pessoas que o pecador mais ama.

Para ter o céu em casa, precisamos vigiar dia e noite a fim de que não sejamos instrumentos de dor e derrota no nosso lar. Não devemos seguir o exemplo do anjo mau, que caiu e arrastou consigo um terço dos anjos. Ao contrário, devemos ter como modelo José do Egito, que, com sua história de vida, nos ensina a vencer a tentação.

Você talvez já tenha ouvido a história registrada em Gênesis 39, que nos apresenta Potifar, um dos homens de confiança do faraó. Potifar comprou um jovem escravo hebreu que se chamava José. Esse rapaz era muito bonito, gentil, inteligente, cheio de sabedoria e temente ao Senhor. José foi comprado para trabalhar na casa de Potifar.

Por causa de sua competência e da bênção do Eterno que sempre estava sobre a sua vida, José passou a chamar a atenção de seu senhor, mesmo sendo um escravo. Isto porque Deus fazia prosperar tudo que ele se propunha a fazer.

Um dia, quando Potifar precisou de um homem para administrar todos os bens que possuía, lembrou-se de José e o promoveu a mordomo. A partir daquela data, ele seria um escravo livre, administrando tudo o que o patrão possuía, menos, é claro, a sua esposa.

Depois que foi promovido, José desempenhou muito bem todas as suas atividades, mas passou a ter um problema: a esposa do patrão apaixonou-se por ele. Ela não vigiou os movimentos da sua alma e foi dominada por um sentimento de paixão tão intenso que fez com que um dia ela olhasse sedutoramente para José e lhe ordenasse: "Deite-se comigo" (Gênesis 39:7).

Ela estava decidida a se entregar a ele, importunando-o todos os dias (ver Gênesis 39:10). Ao perceber que José não lhe dava ouvidos e que estava firme no seu propósito de não ceder à tentação por causa de sua lealdade a Deus e ao patrão, a Bíblia conta que: "Um dia ele entrou na casa para fazer suas tarefas, e nenhum dos empregados ali se encontrava. Ela o agarrou pelo manto e voltou a convidá-lo: 'Vamos, deite-se comigo!'" (Gênesis 39:11-12).

Qualquer pessoa dominada por uma paixão doentia age sem pensar nas consequências.

José não permitiu que o seu coração fosse controlado pelo mesmo sentimento que dominava o coração daquela mulher. O certo é que qualquer pessoa dominada por uma paixão doentia age sem pensar nas consequências, que muitas vezes podem ser irreparáveis.

O sentimento que nasceu e se desenvolveu na alma da esposa de Potifar pode brotar e crescer dentro de qualquer pessoa, pois ninguém está livre dessa possibilidade. Aliás, quanto mais desavisada a pessoa está, mais fácil ela se torna presa das armadilhas do próprio coração.

Quando abordamos os envolvimentos extraconjugais, a pergunta que muitos fazem é: *Como nasce esse sentimento que leva as pessoas a fazerem todo tipo de loucura?* Tudo pode começar com um simples flerte.

O perigoso jogo da sedução

Conheci a história de uma jovem esposa que não estava vivendo um bom momento em seu casamento e se envolveu com um homem que morava no mesmo prédio que ela. Depois de alguns encontros extraconjugais às escondidas, ela percebeu que estava grávida do amante e não tinha como esconder do marido. Foi uma tragédia conjugal com prejuízos irreparáveis.

Essa triste história teve início quando a jovem mulher entrou no elevador do prédio onde morava e encontrou um rapaz galanteador. Naquele dia, por alguma razão, ela tinha passado um tempo maior se arrumando. Ajeitou bem o cabelo, vestiu uma roupa que a deixava mais sedutora, caprichou na maquiagem e no perfume etc. Ao vê-la entrar no elevador, o rapaz a olhou de forma maliciosa e cheia de cobiça e foi logo dizendo: "Como você está linda!" Ela deu um sorriso, e a maneira como agradeceu o elogio deixou transparecer que havia gostado do galanteio e que seria bom ouvi-lo novamente.

No dia seguinte, o rapaz telefonou para ela, a fim de continuar o *jogo de sedução* que havia começado no elevador um dia antes. Ele notou que houve uma abertura e que ela estava vulnerável e receptiva, e isso o encorajou a prosseguir. Ela não apenas atendeu a ligação, mas também demonstrou que estava gostando de *brincar* na "zona de perigo".

Os telefonemas se tornaram frequentes, as declarações apaixonadas se tornaram cada vez mais explícitas. Ele desejava possuí-la, e ela queria ser possuída. Não demorou muito para que eles fossem para um motel, consumando o adultério, que terminou em uma gravidez.

A maioria dos casos extraconjugais começa com muita sutileza.

Observe como a maioria dos casos extraconjugais começa com muita sutileza. No caso dessa jovem esposa, bastou uma frase: "Como você está linda!" Foi por isso que Jesus disse: "Vigiem e orem para que não caiam em tentação" (Mateus 26:41). Todo envolvimento ilícito começa com gestos, atitudes e palavras que aparentemente são inofensivos.

Pessoas compromissadas, casadas, "aliançadas" (que estão unidas em uma aliança, que simboliza o vínculo conjugal) devem estabelecer um limite no seu relacionamento com o sexo oposto e jamais devem brincar com aquilo que pode se tornar uma grande armadilha contra si mesmas.

É por essa razão que devemos com frequência fazer uma viagem ao nosso interior a fim de verificar os movimentos da nossa alma. Os caminhos que estão sendo construídos no nosso coração precisam de supervisão constante, pois podem facilmente nos levar à estrada que conduz à perdição.

Quando um dos cônjuges percebe que alguma pessoa está lhe chamando muito a atenção e provocando constantes pensamentos de infidelidade, é necessário tomar uma atitude radical. O seu pensamento deve estar dirigido para o seu cônjuge e para a sua família. Sempre que uma pessoa que não pertence a esse círculo começa a consumir parte considerável do seu tempo e das suas energias, é sinal de que algo está errado.

A oração pode ser uma forte aliada no exercício constante da vigiância. Devemos fazer como o salmista, que nos dá exemplo quando ora:

> Senhor, tu me sondas e me conheces. Sabes quando me sento e quando me levanto; de longe percebes os meus pensamentos. [...] Sonda-me, ó Deus, e conhece o meu coração; prova-me, e conhece as minhas inquietações. Vê se em minha conduta algo te ofende, e dirige-me pelo caminho eterno.
>
> Salmos 139:1-2,23-24

É necessário contar com a ajuda de pessoas capacitadas, que podem ser instrumentos de Deus em nosso favor.

Nas palestras que ministro para casais sempre aconselho: *Busque ajuda antes que seja tarde demais*. É muito difícil vencer sozinho. É necessário contar com a ajuda de pessoas capacitadas, que podem ser instrumentos de Deus em nosso favor. Felizmente, Deus tem levantado um grande número de pessoas que são capazes de ajudar com sabedoria e sobriedade quem enfrenta problemas nessa área.

Geralmente, quando um envolvimento extraconjugal acontece, a sensação que a pessoa em adultério tem é a de que já não ama mais o cônjuge como amava antes. Esse tipo de relacionamento danoso pode ocorrer na empresa, entre o diretor e a secretária ou entre colegas de trabalho; na faculdade, entre professores e alunos ou entre colegas de classe; na própria família, com a convivência de casais que costumam sempre estar juntos; na igreja, entre o pastor e quem o assessora, entre integrantes do grupo de louvor ou entre os membros da congregação; no consultório, entre médico e paciente; na loja, entre vendedor e cliente, e assim por diante. Homens e mulheres estão igualmente sujeitos a passar por isso.

As situações em que pode acontecer o jogo perigoso da sedução são as mais diversas. Não há limites para o mal no mundo caído em que vivemos. Ninguém está imune a essa possibilidade, e nenhum lugar é suficientemente seguro a ponto de impedir os impulsos de um coração desordenado.

Há medidas que você pode tomar para vencer a tentação de se envolver com outra pessoa, evitando a destruição do seu relacionamento conjugal e o sofrimento que isso traz para qualquer família. É possível se livrar de alguém que, de repente, começa a provocá-lo, como aconteceu com José, no Egito. O amor que vence as tentações é o tema do próximo capítulo.

Capítulo 8

Amor que vence as tentações

ROMPIMENTO DEFINITIVO COM O PECADO

Não temos um sumo sacerdote que não possa compadecer-se das nossas fraquezas, mas sim alguém que, como nós, passou por todo tipo de tentação, mas sem pecado.

Hebreus 4:15, grifo do autor

Para que a nossa família viva de modo abundante e agradável, como se estivéssemos experimentando um pouquinho do céu na terra, precisamos tomar a decisão de romper definitivamente com o pecado. Não quero dizer com isso que você nunca mais vai tropeçar, mas é preciso que você decida romper com os pecados deliberados, aqueles que não são instantâneos nem repentinos.

Uma vez tomada essa decisão fundamental, diante de Deus e em oração, preste atenção às seguintes recomendações:

Cuidado com o excesso de autoconfiança

Nunca diga: "Comigo isso nunca vai acontecer." A autoconfiança foi a causa do fracasso de Pedro diante da tentação de negar a Jesus (ver Mateus 26:33-34). Consciente de que ninguém está livre de cair em tentações baseado em suas próprias forças, devemos orar sempre: "Senhor, nunca deixe faltar temor em nosso coração e ensina-nos a viver com sabedoria e prudência."

A queda de Sansão é a história de um homem que brincou de flertar com o pecado.

Nunca brinque na "zona de perigo"

A queda de Sansão é a história de um homem que brincou de flertar com o pecado (ver Juízes 16:1-31). Ele agiu de forma insensata e pagou um alto preço por isso. Jesus disse aos seus discípulos: "A carne é fraca" (Mateus 26:41). Todas as pessoas que cederam à tentação e acabaram por cometer o adultério incorreram no mesmo erro de Sansão, ou seja, brincaram onde e com quem não deviam brincar. E o resultado de brincadeiras desse tipo quase sempre é trágico. Se, como afirma a Bíblia, a "carne é fraca", todo cuidado é pouco.

Sempre preste contas ao cônjuge

A Bíblia diz: "Confessem os seus pecados uns aos outros e orem uns pelos outros para serem curados. A oração de um justo é poderosa e eficaz" (Tiago 5:16). A partir do momento em que duas pessoas decidiram se casar, é necessário que elas tenham consciência de que um cônjuge sempre deve saber o que está acontecendo na vida do outro. Uma vida não supervisionada não é vivida com responsabilidade. Todos nós precisamos viver conscientes de que temos de responder a alguém sobre os nossos atos.

Peça ajuda quando perceber algum sinal de perigo

O casal precisa construir uma relação com base na verdade (ver Provérbios 10:9) para que, quando a tentação chegar, um tenha confiança suficiente no outro a ponto de abrir o coração, em busca de ajuda. Há situações na vida em que é simplesmente impossível vencer sozinho. Quando um cônjuge procura ser um agente de cura para o outro, o resultado final é a vitória sobre a tentação de pecar, ou seja, o casamento sai fortalecido e vitorioso.

O casamento é como um jardim, que precisa de cuidados diários de um bom jardineiro.

Cultive o seu casamento como se faz com um jardim

Não se pode negligenciar o casamento e esperar que ele por si só floresça e frutifique. O casamento é como um jardim, que precisa de cuidados diários de um bom jardineiro. Invista no seu relacionamento conjugal, dê a atenção necessária ao seu cônjuge. Jamais descuide das barreiras de proteção que devem ser construídas em torno do seu casamento.

Não confie no cônjuge a ponto de julgá-lo imune ao adultério

A sua confiança no seu cônjuge deve ser inteligente, equilibrada e sensata. Confiar não significa ver o outro como um "anjo incapaz de pecar" só porque ele é uma pessoa seriamente comprometida com Deus. Por mais que o seu cônjuge seja sério e espiritual, ele é um ser humano e, como qualquer um, está sujeito às mais variadas tentações. Ajude-o a não pecar.

Já aconselhei casais que caíram em pecado porque não foram criteriosos em relação a quem deveriam receber como "amigos" dentro de casa ou até mesmo porque não foram cuidadosos em relação àqueles com quem conviviam.

Quem ama não tem ciúmes doentios, mas sabe cuidar, protegendo muito bem a pessoa amada. A esposa deve ajudar o marido a enxergar o que muitas vezes ele não é capaz de perceber e que, no futuro, pode se tornar um grande problema. E o marido deve fazer o mesmo em relação à esposa.

Confronte seu cônjuge diante de comportamentos estranhos

A verdade não tem medo da luz. Pessoas responsáveis são capazes de responder a perguntas difíceis sobre seus atos. Quando um dos parceiros apresenta um comportamento diferente do habitual, isso pode ser um sinal de que algo errado está ganhando forma na sua mente e pode estar prestes a se concretizar. Nesses casos, a confrontação pode ser a melhor saída.

A confrontação quase sempre provoca tensão, mas é o melhor caminho para livrar o parceiro de um tropeço moral que, geralmente, torna-se fatal no relacionamento. Quantos casamentos teriam sido salvos se o cônjuge tivesse confrontado o outro na intenção de livrá-lo do pior? Infelizmente, na maioria das vezes em que ocorre um adultério, só depois que tudo vem à tona é que o cônjuge traído diz: "Bem que eu notei, vi, percebi, desconfiei... Mas não tive coragem de perguntar, de ir atrás, de buscar a verdade."

Tenha sempre em mente que é mais fácil vencer a tentação quando o processo está no início.

Cuidado com a internet

De todos os avanços tecnológicos, a internet é uma das mais impressionantes invenções do homem. A rede mundial de computadores foi um fator determinante para a globalização, pois tudo passa por essa teia virtual fantástica. Porém, quando esse meio de comunicação é usado para o mal, o prejuízo pode ser tão grande quanto os benefícios que ela proporciona, ou até maior.

É assustador o número de crianças, adolescentes, jovens e casais que estão se perdendo por causa do Facebook, das salas de bate-papo, dos recados por meio dos programas de mensagem instantânea e de outras redes sociais virtuais.

Quando se trata de internet, é preciso tomar muito cuidado para não usar de forma errada esse instrumento tão poderoso. O melhor lugar para se ter um computador em casa é na sala ou em um lugar de passagem, ou seja, um espaço em que o marido possa observar as atividades da esposa e vice-versa.

Conheci um homem casado que, não conseguindo vencer a tentação de visitar páginas impróprias na internet, decidiu falar sobre sua dificuldade com a esposa. Ela soube acolhê-lo e demonstrou grande sabedoria em ajudá-lo. Os dois acabaram tomando uma atitude radical: sempre que ele precisasse acessar a internet, ela estaria presente. Dessa maneira, a esposa, que não tinha o mesmo tipo de problema que o marido, poderia ajudá-lo a vencer a tentação de conviver com aquilo que poderia destruir o casamento deles.

Como agir quando a crise chega

Sempre que você desconfiar que há um caminho errado sendo construído em seu coração ou no de seu cônjuge e notar que o amor conjugal está esfriando, faça a si mesmo as seguintes perguntas: Quando isso começou? Por que eu passei a enxergar meu cônjuge dessa forma? O que me atraía nele que não me atrai mais? Se sempre o amei, por que estou em dúvida hoje?

A saída para qualquer crise no amor passa pela oração, pela leitura das Escrituras Sagradas e pela sensibilidade de ouvir um mentor espiritual.

Amar é muito mais do que um sentimento. É uma decisão. Se você está decidido a amar, pode contar com os recursos que Deus coloca à disposição de qualquer um dos seus filhos. A saída para qualquer crise no amor passa pela oração, pela leitura das Escrituras Sagradas e pela sensibilidade de ouvir um mentor espiritual. Confira a seguir os três passos essenciais que você deve dar para fugir da crise que ronda seu relacionamento:

Primeiro passo: orar

Toda vez que oramos estamos reconhecendo que quando Deus assume o controle da nossa vida ele corrige aquilo que está errado em nós. A oração nos transforma e nos mantém no caminho de cumprir a vontade de Deus, que é boa, perfeita e agradável. Em minhas orações, sempre peço ao Senhor que me ensine a amar a minha esposa como Cristo ama a Igreja. Peço também que ele me ensine a amar os meus filhos como ele nos ama.

Segundo passo: ler a Bíblia

Quando nos dedicamos à leitura diária das Escrituras, conseguimos manter os olhos na bússola de Deus para não nos perdermos na caminhada. A leitura sistemática e devocional da Palavra de Deus naturalmente gera temor em seu coração.

Foi por isso que Davi disse: "Tuas palavras estão sempre presentes em minha mente; penso nelas muitas vezes para não pecar contra ti" (Salmos 119:11, BV).

Faça um propósito de começar o dia orando e lendo um trecho da Bíblia. Sempre que possível faça isso na companhia do seu cônjuge. Eu e minha esposa desenvolvemos esse hábito ao longo da nossa vida conjugal, e isso tem feito toda a diferença na nossa casa, na nossa família.

Terceiro passo: procurar conselhos sábios

Mantenha contato regularmente com um mentor espiritual, alguém com quem você possa abrir o coração e se aconselhar sempre que aparecer alguma dúvida. O mentor é alguém que inspira confiança por causa do seu caráter, da sua vida com Deus e da sua família estruturada (ver Provérbios 15:22). Nunca é demais lembrar: ninguém vence sozinho!

Recomendo para a sua leitura bíblica devocional os seguintes textos: Malaquias 2:16, Mateus 5:28, Êxodo 20:14 e 1Coríntios 7:2-5. Peça a Deus que o faça entender melhor a importância de vencer as tentações e que o ajude nesse sentido.

No próximo capítulo, vamos entender como viver o amor e a sexualidade dentro do projeto de Deus chamado casamento pode nos ajudar também a vencer as tentações que surgem pelo caminho.

Capítulo 9

Amor e sexualidade

O PRAZER SEXUAL SEMPRE ESTEVE NO PROJETO ORIGINAL DE DEUS

Deus os abençoou, e lhes disse: "Sejam férteis e multipliquem-se!" [...] E Deus viu tudo o que havia feito, e tudo havia ficado muito bom.

Gênesis 1:28,31

O céu nos promete contentamento e prazeres infinitos, onde todo sofrimento anterior será consolado, onde não haverá o luto da morte ou a tristeza; um lugar sem choro e sem dor, em que toda a criação será refeita e o pecado não terá mais lugar, tudo com a promessa da eternidade (ver Apocalipse 21:1-5). Alegria sem fim.

O sexo se apresenta como expressão da maravilha e da glória da criação, da unidade e da transparência que estão presentes entre as três Pessoas da Trindade. O prazer que o sexo proporciona seria uma expressão física, sensível e visível da beleza da união e do amor que está em Deus. Nesse ponto, cabe perguntar: se o sexo tinha esse projeto original, por que há tantos casais infelizes sexualmente?

A insatisfação sexual é um indicador sensível de que o plano de Deus para o casamento está desalinhado.

Todo casal deveria se preocupar em definir que lugar o sexo ocupa na lista do prioridades do seu relacionamento conjugal. A insatisfação sexual é um indicador sensível de que o plano de Deus para o casamento está desalinhado. A solução para esse problema pode começar com a compreensão do que é o sexo sob a perspectiva divina.

Um dos propósitos de Deus para o sexo é despertar e satisfazer no homem e na mulher a fome de intimidade. Sexo não é apenas um incidente no casamento. Embora não tenha sido criado para ser o cerne da intimidade, o sexo é a música do matrimônio.

Pode parecer um pouco estranho para muitos, mas a verdade é que Deus espera que nós o procuremos e o reconheçamos na intimidade sexual com o nosso cônjuge. Intimidade e deleite espiritual não são opostos à intimidade sexual.

Na verdade, a intimidade espiritual se encontra em meio ao deleite relacional e carnal da união. É por isso que o escritor aos hebreus escreveu que o “ato sexual, o coito” é digno de honra tanto quanto o matrimônio (ver Hebreus 13.4).

Você já parou para pensar na reação de Adão quando despertou do seu sono e viu ao seu lado a mulher preparada pelo Criador para completá-lo? O elevado grau de prazer de Adão está explicitado na sua declaração:

> Disse, então, o homem: “Esta, sim, é osso dos meus ossos, e carne da minha carne! Ela será chamada mulher, porquanto do

> homem foi tirada." Por essa razão, o homem deixará pai e sua mãe e se unirá à sua mulher, e eles se tornarão uma só carne.
>
> Gênesis 2:23-24

Que intensa declaração de amor! Quando Adão contempla Eva pela primeira vez, irrompe num cântico. Ele não consegue conter sua alegria e compõe um hino erótico. Não foi o diabo quem criou o sexo, a sexualidade e o erotismo.

O erotismo é fruto da criação alegre de Deus, que tem prazer em deleitar o coração dos seus filhos. A Bíblia traz vários registros que comprovam essa dádiva divina. Por exemplo, comprove a beleza com que escreveu o poeta:

> Seja bendita a sua fonte! Alegre-se com a esposa da sua juventude. Gazela amorosa, corça graciosa; que os seios de sua esposa sempre o fartem de prazer, e sempre o embriaguem os carinhos dela.
>
> Provérbios 5:18-19

Um segredo que está ao alcance de todos os casais é que para atingir a plenitude do prazer no ato conjugal é preciso compreender a sexualidade como uma importante janela para o coração de Deus.

Descobrindo as causas do desajuste sexual

A Bíblia diz: "Desfrute a vida com a mulher a quem você ama, todos os dias desta vida" (Eclesiastes 9:9). E também recomenda: "Beba das águas da sua cisterna, das águas que brotam do seu próprio poço" (Provérbios 5:15). O sexo é tão importante para a manutenção do casamento quanto a água para a preservação da vida, eis a razão por que o texto diz "beba das águas da sua cisterna".

No trabalho de aconselhamento de casais, frequentemente ouço de algumas mulheres: "Se o meu marido não precisasse de sexo, eu passaria muito bem sem." Essa maneira de pensar revela alguma disfunção sexual que precisa ser tratada, porque o normal é gostar e sentir falta da prática do ato sexual no casamento. Muitas vezes, a causa do problema não está na mulher, mas sim no homem. Quando o casal descobre a causa da disfunção ou do desajuste sexual, há mais facilidade na busca pela solução.

Nenhuma outra causa tem levado homens e mulheres ao adultério como a insatisfação sexual crônica. A Bíblia afirma: "Quem está satisfeito despreza o mel, mas para quem tem fome até o amargo é doce" (Provérbios 27:7). O texto é muito claro quando diz que uma alma satisfeita ou farta despreza o favo de mel, ou seja, quando o marido e a esposa saem de casa com as necessidades da alma, inclusive sexuais, satisfeitas, fica bem mais fácil resistir a todas as possíveis tentações do maligno.

Quando o homem e a mulher são infelizes sexualmente no casamento, os dois tornam-se presas fáceis do diabo.

Quando o homem e a mulher são infelizes sexualmente no casamento, os dois tornam-se presas fáceis do diabo. A televisão, as bancas de revistas, as ruas, o ambiente de trabalho, enfim, incontáveis lugares e situações oferecem um cardápio nada desprezível de tentações, tanto para o homem quanto para a mulher.

O apóstolo Paulo, quando escreveu sua carta em resposta à igreja que estava em Corinto, tratou deste assunto com muita preocupação, dizendo: "Por causa da imoralidade, cada um deve ter sua esposa, e cada mulher o seu próprio marido" (1Coríntios 7:2). Paulo também deixou claro que não basta um homem ter uma mulher e a mulher, um homem, é necessário que os dois sejam felizes sexualmente, por isso ele insiste:

> O marido deve cumprir os seus deveres conjugais para com a sua mulher, e da mesma forma a mulher para com o seu marido. A mulher não tem autoridade sobre o seu próprio corpo, mas sim o marido. Da mesma forma, o marido não tem autoridade sobre o seu próprio corpo, mas sim a mulher.
>
> 1Coríntios 7:3-4

Muitos casais têm dúvida sobre como satisfazer a alma e sobre como praticar o ato sexual de forma que a plenitude do prazer seja alcançada, segundo Deus planejou. A realização sexual no contexto do casamento depende muito do conhecimento de alguns pontos básicos sobre as diferenças afetivo-sexuais entre homem e mulher. Vejamos algumas delas:

- O homem é tendente ao amor estético; a mulher é tendente ao amor ético.
- O homem é tendente ao amor quantitativo (instintivo, passageiro); a mulher é tendente ao amor qualitativo (afetivo e duradouro).

- O homem é tendente a querer primeiro o corpo da esposa e depois a pessoa dela; a mulher é tendente a querer primeiro a pessoa do marido e depois o corpo dele.
- O homem é estimulado sexualmente pela visão (erotismo visual, conforme Cântico dos Cânticos 7:1-9); a mulher é estimulada pelo que ouve e pelo toque (erotismo sentimental e abrangente).
- Para o homem o ato sexual é um prazer corporal, somático, físico e localizado; para a mulher o ato sexual é um prazer emotivo, em todo o seu corpo, partindo dos órgãos genitais.
- O homem precisa de sexo para se manter vivo no casamento; a mulher precisa de carinho, companheirismo, segurança, estabilidade e também sexo.
- No homem, o sexo é descontínuo e centralizado; na mulher, o sexo é contínuo e descentralizado.

O sexo tem um significado e um papel muito amplos no casamento e, por isso, deve receber atenção redobrada por parte de qualquer casal.

O sexo tem um significado e um papel muito amplos no casamento e, por isso, deve receber atenção redobrada por parte de qualquer casal. Para o homem e para a mulher, o ato conjugal satisfaz o instinto sexual, aumenta o amor um pelo outro, reduz as tensões no lar e proporciona a mais íntima experiência da vida conjugal.

- Nunca sejam egoístas, pensem na realização do cônjuge (1Coríntios 7:2-5).
- Eliminem os complexos por meio da oração e da compreensão.
- Lembrem-se de que o cansaço pode ser a causa do fracasso.
- Desenvolvam uma comunicação franca nessa área.
- Procurem não praticar o ato sob a tensão de um problema.
- Reservem tempo para o exercício do ato.
- A privacidade do casal é de fundamental importância.
- O asseio é uma necessidade de todos.
- A preocupação com uma possível gravidez pode ser a causa da baixa qualidade da relação sexual.
- Nunca se esqueçam de que o homem se excita pelo que vê; já a mulher, mais pelo que ouve.
- Nunca tenham o sexo como obrigação. O ato sexual deve ser espontâneo.
- Cuidado com a contaminação do leito, que deve ser sem mácula.
- Cuidado com as relações "pornográficas" (ver Romanos 1:26-27).

Obviamente, quando tratamos de relacionamento conjugal, o sexo não é tudo, mas é impossível negar que a infelicidade na área sexual é capaz de gerar um mau humor crônico com potencial para afetar todas as áreas da vida do casal. Por isso, se você tem enfrentado problemas que afetam a sexualidade no casamento, tome a resolução de mudar e procure ser um amante melhor.

Fique atento, porém, para jamais cair na armadilha de cobrar mudanças físicas do seu cônjuge, pois o efeito normalmente é contrário. Faça melhor, elogie o que ele tem de bom.

Quando a esposa se arrumar, o marido deve procurar reparar e elogiar sempre. Evite ao máximo as críticas. Quando o marido for sair de casa, a mulher pode dar uma boa olhada nele, ajeitar a gola mal-arrumada e dizer que ele é muito bonito e que tem orgulho dele.

Valorize o seu cônjuge, pois nada é mais estimulante que ser desejado. Lembre-se de que o sexo é a música do matrimônio: quanto mais os músicos tocarem, mais habilidosos ficarão. Meu conselho final é que os casais jamais parem de tocar a música da sexualidade no casamento, porque enquanto houver música, haverá alegria e vida conjugal plena.

Além da celebração da sexualidade plena, veremos, no capítulo a seguir, que uma importante parcela do sucesso conjugal pode ser atribuída à devida valorização de um cônjuge pelo outro.

Capítulo 10

Atribua o devido valor ao seu cônjuge

SÓ TEM VALOR AQUILO QUE VOCÊ VALORIZA

Seus filhos se levantam e a elogiam; seu marido também a elogia, dizendo: "Muitas mulheres são exemplares, mas você a todas supera." A beleza é enganosa, e a formosura é passageira; mas a mulher que teme o SENHOR será elogiada. Que ela receba a recompensa merecida, e as suas obras sejam elogiadas à porta da cidade.

Provérbios 31:28-31

Para construir o céu em casa, precisamos aprender com o livro que exalta a sabedoria do alto. O capítulo 31 do livro de Provérbios descreve a famosa esposa exemplar, que em outras traduções também é conhecida como a varoa valorosa ou a mulher virtuosa. O padrão descrito no texto é altíssimo, excelente, e dificilmente uma mortal poderia atender a todas estas características.

O pastor norte-americano David Merkh, professor do Seminário Bíblico Palavra da Vida, em Atibaia, São Paulo, afirmou em uma de suas aulas que a mulher descrita no texto de Provérbios 31 é a própria sabedoria personificada. Ela não é mulher somente, é uma característica do próprio Deus, é uma virtude vinda do céu, de onde estamos buscando os parâmetros para a construção celeste das nossas casas.

Não podemos ser econômicos ao valorizar as pessoas que são importantes para nós e a quem dizemos amar.

Em todo o livro de Provérbios a sabedoria é exaltada e as suas características nos são apresentadas. Ela é conselheira dedicada (4:7) e toma a iniciativa ao convidar os que estão perdidos à salvação (8:1). A origem da sabedoria é o próprio Deus (2:6), mas ela se identifica e se afeiçoa aos humildes (11:2), sendo achada na boca do justo (10:31). Ela constrói uma casa (9:1), onde mora com a prudência (8:12) e promove um banquete para os perdidos. A sabedoria é extremamente valiosa (8:11), e o autor, divinamente inspirado, ressalta este valor várias e várias vezes ao longo do livro (4:6-7; 16:16; 17:16; 24:7). Mas por que será que ele faz isso? Justamente porque "só tem valor aquilo que você valoriza". Este é um poderoso princípio usado nas Escrituras e que precisa ser aplicado aos nossos lares. Não podemos ser econômicos ao valorizar as pessoas que são importantes para nós e a quem dizemos amar.

É impossível amar e não demonstrar esse amor. No texto bíblico citado no início deste capítulo, o autor de Provérbios 31 traça o perfil de uma mulher cujo valor é reconhecido por aqueles que são mais importantes na vida dela: o marido e os filhos. Vamos considerar apenas seis qualidades dessa mulher:

1. Generosa: *Sabe ouvir o coração* (v. 20).
2. Criativa: *Usa seus dons em benefício da família* (v. 16).
3. Otimista: *É capaz de enxergar possibilidades nas dificuldades* (v. 25).

4. Trabalhadora: *Não come o pão da preguiça* (v. 27).
5. Precavida: *Pensa antecipadamente* (v. 21).
6. Grande esposa e mãe excelente: *É a causadora do sucesso do marido e dos filhos* (v. 16,29-30).

A importância do reconhecimento

O texto de Provérbios 31 estaria incompleto se não houvesse este registro de reconhecimento: "Seus filhos dizem aos colegas: 'Minha mãe é formidável! É a melhor mãe do mundo!' Seu marido diz a ela, cheio de orgulho: 'Pode haver muitas boas esposas neste mundo, mas eu tenho certeza que nenhuma delas é melhor que você'" (vv. 29-30, BV).

O reconhecimento dos filhos e do marido eleva a autoestima da esposa e contribui para que o casamento se torne cada vez mais prazeroso. Em maio de 2007, no dia do aniversário da minha esposa, estávamos participando de um encontro nacional de pastores, na cidade de Santos, em São Paulo. Eu era um dos preletores convidados para ministrar naquela manhã. Quando assumi a plataforma para falar aos 3.500 líderes presentes, resolvi fazer uma surpresa para Rousemary com uma declaração pública de amor, reconhecendo o seu valor.

Anunciei que era o aniversário dela, pedi que ela ficasse em pé e disse: "Minha querida, nos invernos rigorosos da vida, você foi o cobertor que não deixou a minha alma morrer de frio. Te amo muito! Feliz aniversário!" Naquele dia, ficou claro que, de todos os presentes que ela ganhou, esse reconhecimento público foi o que mais marcou o seu coração.

No livro de Cântico dos Cânticos, escrito pelo rei Salomão, estão registradas as seguintes palavras: "Ele me leva ao salão de festas e mostra a todos o quanto me ama" (2:4, BV). Uma das razões pelas quais toda mulher gosta de andar de mãos dadas com o marido em público é porque, dessa forma, ela entende que ele está demonstrando o seu amor. Esse gesto aparentemente sem importância transmite a ela uma incrível sensação de segurança. A mulher tem necessidade de expressar e experimentar o amor dessa maneira.

Os casais precisam descobrir "o poder da apreciação" e do reconhecimento público do valor do outro.

Os casais precisam descobrir "o poder da apreciação" e do reconhecimento público do valor do outro. Esta é uma necessidade da alma de todos nós. Amar é demonstrar quanto o outro é importante dentro e fora do ambiente do lar.

O mistério da fita azul

O reconhecimento do valor do outro pode desencadear processos de cura, de libertação e de mudanças impossíveis de se dimensionar. Sempre recebo histórias interessantes por e-mails, mas uma delas chamou minha atenção para o poder do reconhecimento e me fez repensar a vida.

Uma professora de determinado colégio decidiu homenagear cada um dos seus formandos falando-lhes da diferença que tinham feito na sua vida de mestra durante aquele período de convivência. Chamou um de cada vez para a frente da classe e fez questão de honrá-los pessoalmente. Começou listando as características de cada um, dizendo a eles a diferença que tinham feito para ela e para os outros da turma. Então deu a cada um uma fita azul, na qual estava gravada com letras douradas a seguinte frase: *Quem eu sou faz a diferença.*

Mais adiante, resolveu propor um projeto de classe para a turma, com o objetivo de que os alunos pudessem ver o impacto que o reconhecimento positivo pode ter sobre uma comunidade. Deu a cada um dos alunos mais três fitas azuis com os mesmos dizeres e os orientou a entregarem as fitas para pessoas do seu conhecimento, aquelas que eles consideravam que desempenhavam um papel diferente e que de alguma maneira fossem referência para eles. No entanto, alertou aos alunos que eles deveriam acompanhar o "jogo" para ver quem homenagearia quem e, ao final de uma semana, informar os resultados à classe.

Um dos rapazes procurou um executivo iniciante em uma empresa próxima e o homenageou por tê-lo ajudado a planejar sua carreira. Deu-lhe uma fita azul, pregando-a em sua camisa. Feito isso, deu-lhe as outras duas fitas, e explicou: "Estamos desenvolvendo um projeto de classe sobre reconhecimento e gostaríamos que você escolhesse alguém para homenagear. Vou lhe dar mais duas outras fitas para que você também possa homenagear outra pessoa e, assim, manter esse projeto vivo. Mas, depois, por favor, conte-me o que percebeu ter acontecido."

Mais tarde, naquele dia, o executivo iniciante procurou o seu chefe, que, por sinal, era conhecido como uma pessoa de difícil trato. O jovem pediu que o chefe se sentasse e disse-lhe quanto o admirava pelo seu gênio criativo. O chefe pareceu ficar muito surpreso. O executivo subalterno perguntou se ele aceitaria uma fita azul e se lhe permitiria colocá-la nele. O chefe, surpreso, respondeu-lhe afirmativamente.

Colocando a fita no bolso da lapela, bem acima do coração, o executivo iniciante deu-lhe mais uma fita azul igual e pediu: "Leve esta outra fita e passe-a para alguém que você também admira muito." E explicou o projeto de classe do menino que havia primeiramente lhe dado a fita.

No final do dia, quando o chefe chegou a sua casa, chamou seu filho de 14 anos e o fez sentar-se diante dele, dizendo-lhe:

— Uma coisa incrível me aconteceu hoje. Eu estava em minha sala e um dos executivos subalternos veio e me deu uma fita azul pelo meu gênio criativo. Imagine só! Ele acha que sou um gênio! Então me colocou esta fita que diz *Quem eu sou faz a diferença*. Depois, ele me deu uma fita a mais, pedindo que eu escolhesse outra pessoa que eu achasse merecedora de igual reconhecimento. Voltando para casa, enquanto dirigia, fiquei pensando em quem eu escolheria e pensei em você. Gostaria de homenageá-lo. Meus dias são muito caóticos, e quando chego aqui, não dou muita atenção a você. Às vezes, grito com você por não conseguir notas melhores na escola e por seu quarto estar sempre uma bagunça. Mas, por alguma razão, hoje, agora, me deu vontade de tê-lo à minha frente, simplesmente para lhe dizer que você faz uma grande diferença para mim. Além de sua mãe, você é a pessoa mais importante da minha vida. Você é um grande garoto, filho. Sua mãe e eu te amamos!

O menino, pego de surpresa, desatou a chorar convulsivamente, sem parar. Ele olhou para o seu pai e falou, entre lágrimas:

— Pai, poucas horas atrás eu estava no meu quarto e escrevi uma carta de despedida endereçada a você e à mamãe explicando por que havia decidido me suicidar e lhes pedindo perdão. Pretendia me matar enquanto vocês dormissem. Achei que vocês não se importavam comigo. A carta está lá em cima, mas acho que, afinal, não vou mais precisar dela!

O pai foi lá em cima e encontrou uma carta cheia de angústia e de dor. O homem foi para o trabalho no dia seguinte completamente transformado. Ele não estava mais ranzinza e fez questão de que seus subordinados soubessem a diferença que cada um deles fazia. O executivo iniciante, que deu origem a isso, ajudou muitos outros a planejarem a carreira e nunca esqueceu de lhes dizer que cada um havia feito uma diferença grande em sua vida, sendo um deles o filho do próprio chefe.

A consequência desse projeto é que cada um dos alunos que participou dele aprendeu uma grande lição: *Quem você é faz, sim, uma grande diferença.*

Nada é pior do que viver em um ambiente onde um não reconhece o valor do outro.

Observe que o fato de o pai não reconhecer o valor do filho estava gerando naquele garoto o desejo de tirar a própria vida. Nada é pior do que viver em um ambiente onde um não reconhece o valor do outro. "O que não é reconhecido não é celebrado", disse certa vez o escritor e pastor norte-americano Mike Murdock.

Essa história nos mostra que as coisas de maior valor no relacionamento não custam dinheiro. Pequenas atitudes podem representar grandes conquistas para o seu relacionamento conjugal. Por isso, lembre-se:

- Seu cônjuge quer sentir que tem valor para você.
- Um elogio afirma o valor da pessoa e a fortalece.
- Os elogios que você faz em público são mais efetivos.
- A motivação é o oxigênio da alma.
- Não espere que o seu cônjuge adivinhe o que você deveria declarar em forma de palavras e gestos.
- Surpreenda seu cônjuge com atitudes carregadas de reconhecimento. Isso vai fazer toda a diferença no casamento.

Valorizando as qualidades do outro

Não podemos ser como as crianças, que abrem mão de uma barra de ouro por uma barra de chocolate porque não sabem diferenciar o valor de um em relação ao do outro. Todos nós temos qualidades e defeitos e precisamos estar aptos para avaliar e dar o peso adequado a cada uma dessas características, tanto em nós mesmos como na pessoa com quem nos casamos.

Você seria capaz de listar as qualidades da pessoa com quem se casou, ou seja, aquilo que você reconhece que faz parte do lado bom dela? Coloque um "x" na qualidade que você percebe no seu cônjuge:

a. Trabalhador
b. Honesto
c. Paciente
d. Disciplinado
e. Organizado
f. Determinado
g. Corajoso
h. Grato
i. Conciliador
j. Gentil
k. Perdoador
l. Sensível
m. Otimista
n. Caprichoso
o. Romântico
p. Generoso
q. Visionário
r. Prudente
s. Humilde

Ninguém melhora quando apenas os seus defeitos são observados.

Reconhecer os pontos positivos do cônjuge contribui para o seu crescimento. Ninguém melhora quando apenas os seus defeitos são observados. Amar é acreditar no potencial oculto da pessoa amada.

O pastor David Merkh, em uma das suas palestras para casais, contou que um casal, após a cerimônia do casamento, viajou para passar a lua de mel em um lugar muito interessante. Ao chegar ao hotel onde ficariam hospedados, ainda no corredor, indo para o quarto, o marido, num gesto muito romântico, pegou a jovem esposa no colo e a levou até a cama. Num ato impensado, porém, querendo logo no começo corrigir a esposa, disse-lhe:

— Querida, durante esse tempo de convivência, observei alguns defeitinhos em você. Será que eu posso falar sobre isso agora?

Ela respondeu:

— Querido, acho que não. Eu convivo com esses defeitinhos há muito mais tempo que você. Por isso, eu os conheço muito bem e, se eu não os tivesse, teria arrumado um marido melhor do que você.

Dá para imaginar como ficou o clima na primeira noite de lua de mel?

A unidade conjugal cresce quando o casal busca valorizar e fortalecer as qualidades do outro, reconhecendo assim o seu valor.

A unidade conjugal cresce quando o casal busca valorizar e fortalecer as qualidades do outro, reconhecendo assim o seu valor. E, no contexto do casamento, fortalecer o outro equivale a fortalecer a si mesmo. Lembre-se: *Só tem valor aquilo que você valoriza.*

Além da valorização entre os cônjuges, outro fator é essencial para a harmonia do lar que pretende ser como o céu aqui na terra. Refiro-me à maneira como criamos os nossos filhos e demonstramos amá-los. É disso que trata o próximo capítulo.

Capítulo 11

Ame seus filhos como Deus os ama

MAIS IMPORTANTE QUE UMA HERANÇA É O LEGADO DEIXADO PARA A PRÓXIMA GERAÇÃO

Conhecemos o amor que Deus tem por nós e confiamos nesse amor. Deus é amor. Todo aquele que permanece no amor permanece em Deus, e Deus nele.

1João 4:16

Fazia parte do plano inicial de Deus que a sua glória se espalhasse pela terra, por meio da reprodução da sua imagem, que ele imprimiu na humanidade. Sabemos que o pecado manchou essa imagem, mas que, em Cristo, podemos novamente nos aproximar da semelhança de Deus.

Jesus é nosso padrão, e devemos não somente buscar ter o caráter dele, mas também transmitir esta imagem aos nossos filhos.

Assim, a maneira de trazer o céu para a terra é nos tornarmos semelhantes ao Pai, usando como modelo o Filho de Deus que se fez homem. Jesus é nosso padrão, e devemos não somente buscar ter o caráter dele, mas também transmitir esta imagem aos nossos filhos.

Precisamos trazer a imagem do Senhor para os lares, de modo que os filhos sejam a extensão do alto, a representação do céu em casa e na sociedade. Para que isso aconteça, precisamos amar, e o segredo está no mais básico dos mandamentos:

> [Disse] Jesus: "O mais importante [mandamento] é este: 'Ouve, ó Israel, o Senhor, o nosso Deus, o Senhor é o único Senhor. Ame o Senhor, o seu Deus, de todo o seu coração, de toda a sua alma, de todo o seu entendimento e de todas as suas forças.' O segundo é este: 'Ame o seu próximo como a si mesmo'. Não existe mandamento maior do que estes."
>
> Marcos 12:29-31

Os pais precisam amar os filhos e sabem que o tipo de amor que devem empregar nesta tarefa é um amor excelente, altruísta, desinteressado e paciente. No entanto, esse amor não se encontra em nós em abundância. Os pais devem, então, procurar se abastecer desse amor. Por mais paradoxal que pareça, a maneira de se abastecer deste amor é amando, é vivendo para outro ser. Sair do centro e viver para o outro é o segredo da felicidade humana.

Porém, quando um pai ou uma mãe dedicam a vida ao cuidado dos filhos, percebem que não recebem em troca o que esperam. Todos contam com alguma porção de gratidão, carinho, ou reconhecimento; mas, mesmo os que têm ótimos filhos se decepcionam em algum momento e desanimam. Por isso é que Deus ordena que o primeiro alvo do amor seja o próprio Criador, pois ele não muda, não dorme, não se distrai, não desaponta e nunca deixará de suprir quem o ama.

Os pais que conseguem amar a Deus de todo o entendimento e com todas as forças ficam abastecidos com o amor e com a presença do Senhor, de modo que manifestam o fruto do Espírito e, dessa forma, são capazes de amar os filhos com a porção que recebem de Deus constantemente, pois "*todo aquele que permanece no amor permanece em Deus*".

O pai ideal

Como canalizar e especializar este amor? Como ser e ensinar? Como transmitir? Como ser um pai ideal? Por que você decidiu ter um ou mais filhos? Quais os valores e as emoções que o influenciaram nessa decisão? Quando decidiu ter filhos, você tinha consciência de todas as implicações na missão de ser pai ou mãe? Na sua visão, qual é o perfil de um pai ideal? É com base nessas perguntas que o convido para, juntos, refletirmos sobre algumas diretrizes na criação de filhos emocionalmente saudáveis.

A esse respeito, a escritora Lya Luft registrou com muita propriedade: "A infância é o chão sobre o qual caminharemos o resto da nossa vida."[4] As crianças, seja em que família for, serão seguramente — não principalmente — um *problema* e uma *tarefa*. Para que signifiquem *alegria*, devemos desejá-las e amá-las. "Fazer da casa um ninho e não uma jaula"[5] começa antes daqueles primeiros toques e olhares entre o casal e, em seguida, sobre o filho que acaba de nascer.

Ser pai é ser amigo, sacerdote, parceiro, irmão e companheiro de jornada. É um privilégio que Deus confere ao ho-

[4] *Perdas e ganhos*, p. 26.

[5] Idem.

mem, apesar de a responsabilidade ser tão grande quanto o privilégio. Como pai que sou, sempre me preocupei com a saúde integral dos meus filhos. Isso porque não basta termos filhos fisicamente saudáveis, por um lado, e espiritual e emocionalmente doentes, por outro.

A Bíblia nos diz que os filhos são como *flechas* nas mãos do *guerreiro*, que é o pai (ver Salmos 127:4). Se o pai é o guerreiro, o destino das *flechas* (*filhos*) está em suas mãos. Os pais que exercem essa missão com consciência jamais negligenciam o cuidado que devem ter com cada filho. Um escritor desconhecido expressou o poder da influência que os pais exercem sobre as crianças, determinando o seu destino:

- Se uma criança vive com críticas, aprenderá a condenar.
- Se uma criança vive com segurança, aprenderá a ter fé em si mesma.
- Se uma criança vive com hostilidade, aprenderá a ser hostil.
- Se uma criança vive com aceitação, aprenderá a amar.
- Se uma criança vive com medo, aprenderá a ser apreensiva.
- Se uma criança vive com reconhecimento, aprenderá a ter uma meta.
- Se uma criança vive com aprovação, aprenderá a gostar de si mesma.
- Se uma criança vive com ciúme, aprenderá a sentir-se culpada.
- Se uma criança vive com amizade, aprenderá que o mundo pode ser melhor para se viver.

Repensar a família a partir do exercício da paternidade e da maternidade responsável é reconhecer que mais importante do que deixar uma herança é deixar um legado para a próxima geração. Vamos refletir sobre algumas orientações que podem nos ajudar a ser um pai ou uma mãe ideal.

O poder de uma declaração de amor

> *Do céu veio uma voz, que disse: Este é o meu Filho amado, que me dá muita alegria.* (Mateus 3:17, NTLH)

> *O amor é a única razão pela qual se dá a vida.* (Matthew Kelly)

Amar e ser amado é a necessidade mais básica do ser humano.

Se Deus dissesse que hoje seria o último dia que você passaria com a sua família, o que você faria nessas 24 horas? Amar e ser amado é a necessidade mais básica do ser humano. Quem ama demonstra, declara, deixa vazar esse sentimento como água que nutre a alma do outro. Lya Luft, ao abordar o tema família, escreve uma verdade sobre a qual precisamos refletir:

> Se viver sozinho já é duro, viver em família pode ser onerado e oneroso. Sofremos com a precariedade dos laços amorosos. Sofremos com a falta de dinheiro e de tempo. Sofremos com a necessidade de suprir cada vez mais os mandatos do consumo. Sofremos com o pouco espaço para o diálogo, a ternura e a solidariedade dentro da própria casa. Principalmente, não temos tempo ou disponibilidade para o natural exercício da alegria e do afeto.[6]

[6] Idem, p. 25.

O escritor Matthew Kelly, ao tratar da importância do amor nas relações interpessoais, afirmou, com muita razão: "Dar e receber amor é a maior vocação do ser humano."[7] Infelizmente, muitos pais nunca se deram conta da importância e do valor de uma declaração sincera de amor ao filho.

A Bíblia diz que antes de Jesus ser levado para o deserto a fim de ser tentado pelo diabo, Deus, o Pai Eterno, fez uma declaração de amor que foi decisiva para a vitória de Cristo sobre o diabo e as suas tentações. Deus disse: *"Este é o meu filho amado em quem eu tenho muito prazer!"* (Mateus 3:17, BV).

Conheço muitos filhos que nunca ouviram dos pais uma única declaração de amor.

Nossos filhos precisam sair de casa (para estudar, trabalhar ou passear) sabendo que são amados incondicionalmente. Conheço muitos filhos que nunca ouviram dos pais uma única declaração de amor. Certo dia, quando terminei de ministrar em uma igreja sobre a importância do carinho, do afeto e de uma declaração de amor, uma jovem procurou-me e, com os olhos cheios de lágrimas, disse-me: "Pastor, eu tenho 17 anos e sofro de uma carência crônica de afeto paterno. Meu pai nunca me abraçou, nunca me deu parabéns no meu aniversário, nunca me fez uma declaração de amor. Pelo contrário, já ouvi dele algumas vezes: 'Você deveria ter nascido morta.'"

Amar e ser amado é imprescindível para a saúde emocional dos nossos filhos. As coisas que mais têm valor no relacionamento familiar não custam dinheiro. Quanto custa uma

---

[7] *Os sete níveis da intimidade*, p. 89.

declaração de amor? Se você tem filho, por que não fazer hoje mesmo uma linda declaração de amor para ele?

Alguém me enviou um texto que nos faz refletir por que não devemos deixar para amanhã o que podemos fazer hoje. Trata-se de uma mensagem que foi deixada pelo marido de uma das aeromoças que morreram no acidente que houve com um avião da TAM, em São Paulo, em 2007. Ele jamais poderia imaginar que aquela seria a última saída da esposa para trabalhar. Por isso ele escreveu:

Se o amanhã não vier...
Se eu soubesse que essa seria a última vez que eu veria você dormir,
Eu aconchegaria você mais apertado e rogaria ao Senhor que protegesse você.
Se eu soubesse que essa seria a última vez que eu veria você sair pela porta,
Eu abraçaria, beijaria você e a chamaria de volta
Para abraçá-la e beijá-la uma vez mais.
Se eu soubesse que essa seria a última vez que eu ouviria a sua voz em oração,
Eu filmaria cada gesto, cada palavra sua,
Para que eu pudesse vê-la e ouvi-la de novo, dia após dia.
Se eu soubesse que essa seria a última vez,
Eu gastaria um minuto extra ou dois para parar e dizer:
EU TE AMO, ao invés de assumir que você já sabe disso.
Se eu soubesse que essa seria a última vez,
Eu estaria ao seu lado, compartilhando do seu dia, ao invés de pensar:
"Bem, tenho certeza de que outras oportunidades virão. Então eu posso deixar passar esse dia. É claro que haverá um amanhã para se fazer uma revisão."
E nós teríamos uma segunda chance para fazer as coisas de maneira correta.

É claro que haverá outro dia para dizermos um para o outro: "EU TE AMO", e certamente haverá uma nova chance de dizermos um para o outro: "Posso te ajudar em alguma coisa?" Mas, no caso de eu estar errado, e hoje ser o último dia que temos juntos, eu gostaria de dizer-lhe O QUANTO EU AMO VOCÊ!"

Hoje pode ser a sua última chance de segurar bem apertado a mão da pessoa que você ama.

Esta é uma bela lição da qual espero que nunca nos esqueçamos! O dia de amanhã não está prometido a ninguém, seja jovem, seja velho. E hoje pode ser a sua última chance de segurar bem apertado a mão da pessoa que você ama. Se você está esperando pelo amanhã, por que não fazer hoje?

Porque se o amanhã não vier, você, com certeza, se arrependerá pelo resto da sua vida de não ter aproveitado aquele tempo especial com um sorriso, um abraço e um beijo. Tudo porque você estava "muito ocupado" para dar àquela pessoa o que acabou sendo o último desejo dela.

Então, abrace o seu amado, a sua amada, o seu filho, a sua filha HOJE. E dê esse abraço bem apertado. Sussurre no ouvido dessa pessoa, dizendo-lhe quanto você a ama e quanto a quer junto de você. Gaste um tempo para dizer: "Me desculpe", "Por favor", "Me perdoe", "Obrigado", ou ainda, "Não foi nada", "Está tudo bem".

Isso porque, se o amanhã jamais chegar, você não terá que se arrepender pelo dia de hoje. Pois o passado não volta e o futuro talvez não chegue. Papai, mamãe, marido e esposa: parem agora por alguns minutos e reflitam sobre essa mensagem. E pratiquem-na!

É sempre bom lembrar que, como afirmou com muita propriedade a escritora Lya Luft, "amor em família é uma arte, um malabarismo, por vezes um heroísmo: essencial como o ar que respiramos".[8]

Como vai a autoestima do seu filho?

> *O Senhor Deus ordenou a Gideão: "Vá com toda a sua força e livre o povo de Israel dos midianitas."* (Juízes 6:14, NTLH)

Autoestima é a maneira como uma pessoa se sente em relação a si mesma. É o juízo geral que ela faz de si mesma — quanto gosta da sua própria pessoa. Você sabia que os filhos já nascem com uma elevada autoestima e que são os pais que irão sistematicamente mantê-la ou arruiná-la? Toda criança, indistintamente, nasce com um elevado potencial de saúde psicológica. Por que a autoestima é tão importante para a vida do filho?

O escritor Josh McDowell, em seu livro *Construindo uma nova imagem pessoal,* afirma:

> Pessoas com frágil senso de autovalorização esperam ser enganadas, rejeitadas e censuradas; aguardam o pior e muitas vezes criam motivos para ter medo. Assumem comportamentos derrotistas, de desconfiança e de suspeita.

A autoestima é a mola propulsora que impulsiona a criança para o êxito ou para o fracasso. Uma das necessidades básicas do ser humano é o senso de valor próprio.

---

[8] *Perdas e ganhos*, p. 47.

Os pais podem contribuir para melhorar a autoestima do filho

As palavras podem levantar ou derrubar, abençoar ou amaldiçoar.

A visão que o filho tem de si mesmo depende muito daquilo que ele ouve dos pais dentro do lar. Lemos na Bíblia que o poder da morte e da vida está na língua, ou seja, aquilo que falamos tem consequências positivas ou negativas (ver Provérbios 18:21). As palavras podem levantar ou derrubar, abençoar ou amaldiçoar, construir ou destruir, desenvolver uma psicologia de vida ou matar.

Os pais podem desenvolver a autoestima do filho, afirmando as suas qualidades, celebrando com ele cada conquista, ensinando a pensar positivamente sobre si mesmo e sendo uma referência de otimismo. O psiquiatra e escritor Augusto Cury afirma: "Criticar sem antes elogiar obstrui a inteligência e leva o jovem a reagir por instinto, como um animal ameaçado."

Meus filhos cresceram declarando comigo: "Eu nasci para vencer! Eu nasci para ser uma bênção!" Os pais nunca devem usar certa estirpe de palavras e expressões com o filho, tais como: *burro, besta, idiota, você não vai dar para nada* etc. Isso só vai servir para piorar as coisas, pois causa um efeito contrário. O filho acaba acreditando naquilo que o pai ou a mãe falam e assume o seu derrotismo. É muito importante também a maneira como os pais reagem diante dos fracassos do filho.

Um dia, minha filha Letícia chegou em casa chorando. Ao perguntar por que, ela me disse que tinha sido reprovada no exame de baliza e que, por isso, teria que fazer a prova de direção novamente, caso contrário não seria possível pegar a carteira de motorista. Dependendo da maneira que eu reagisse naquele momento, ela poderia ser motivada a fazer novamente o exame e ser aprovada ou ficar desmotivada e nem tentar outra vez.

Nossa reação diante das falhas dos nossos filhos pode determinar o sucesso ou o fracasso deles. Logo que percebi que ela estava muito decepcionada e pensando em desistir, procurei motivá-la, dizendo: "Os vencedores não desistem com facilidade. As crianças aprendem a andar caindo. Você vai tentar quantas vezes forem necessárias e com certeza vai conseguir! O que aconteceu com você já ocorreu com os melhores motoristas."

Ela ouviu, assimilou a mensagem, treinou um pouco mais, marcou uma nova prova e o resultado final foi positivo: aprovada. Hoje ela é uma ótima motorista.

Seja um pai otimista. Invista sempre na autoestima do seu filho. Pais bem-sucedidos são aqueles que treinam os filhos para vencerem na vida! Como? Investindo na autoestima deles.

A disciplina é a pedagogia do amor

> *É bom corrigir e disciplinar a criança. Quando todas as suas vontades são feitas, ela acaba fazendo a sua mãe passar vergonha.* (Provérbios 29:15, NTLH)

Com razão disse o escritor Henry Cloud: "O objetivo principal da criação dos filhos é a formação do seu caráter." É impossível falar em formação de caráter sem mencionar a disciplina. A Bíblia diz: "Não evite disciplinar a criança..." (Provérbios 23:13). Toda criança é astuta por natureza desde o nascimento. O que os pais precisam saber é que o resultado do excesso de carinho sem disciplina quase sempre é a formação de um filho "delinquente".

Alguns benefícios da disciplina:

- Desenvolve o senso de responsabilidade e respeito à autoridade.
- Ensina que limites existem para serem respeitados.
- Contribui na formação de um caráter íntegro.
- Ensina a obediência e a submissão.

O que fazer para que a disciplina seja eficiente:

- Aplique-a com equilíbrio.
- Deixe claro para o filho que a disciplina é um ato de amor.
- Aplique a disciplina de modo lúcido.
- Nunca discipline o seu filho publicamente, expondo-o à vergonha. Esse tipo de disciplina produz efeito contrário.
- Após a disciplina, ore com o seu filho.
- Não anule a disciplina que foi aplicada ao filho pelo cônjuge.

Uma dúvida comum à maioria dos pais é se deve-se fazer uso da "vara", em sentido literal, quando o filho adolescente dá algum motivo. O dr. James Dobson, em seu livro *Ouse disciplinar*, afirma que "os pais não devem surrar um filho adolescente".

Os adolescentes desejam, desesperadamente, ser considerados adultos. Eles se ressentem demais quando são tratados como crianças. A surra é o máximo do insulto. A disciplina aplicada aos adolescentes deve envolver a perda de privilégios, a privação financeira e outras formas relacionadas de punição não física.

O apóstolo Paulo, instruindo os pais da igreja de Éfeso, escreveu: "Pais, não irritem seus filhos; antes, criem-nos segundo a instrução e o conselho do Senhor" (Efésios 6:4). É a partir da maneira como você aplica a disciplina ao seu filho que ele vai conseguir entender o que você fez como um ato de amor. Há um versículo no livro de Provérbios que diz: "Discipline seu filho, pois nisso há esperança..." (19:18).

Respeite e valorize as emoções do seu filho

Ao vê-la, o Senhor se compadeceu dela e disse: "Não chore."
(Lucas 7:13)

Como vai a saúde emocional do seu filho ou da sua filha? Vamos começar refletindo sobre três razões pelas quais os pais devem se preocupar em criar filhos emocionalmente saudáveis:

1. Nossas emoções determinam a qualidade e o significado da nossa vida.
2. Nossas emoções influenciam cada parte da nossa vida.
3. Nossas emoções ajudam-nos a definir os nossos valores.

Com base nessas três afirmações, podemos concluir que o sucesso ou o fracasso na vida de qualquer pessoa dependem do seu estado emocional. Os pais devem lembrar-se de que o sentimento está sempre vinculado ao valor que damos às coisas ou às pessoas.

Aquilo que para os pais não significa muito para o filho pode ter um valor especial. Por exemplo, uma paquera, um amigo, um animal de estimação, uma bicicleta, um tênis, uma camiseta, um brinquedo, um passeio que não deu certo, tudo isso pode ter muito valor para um filho.

Os pais que exercem sua missão com essa consciência nunca brincam com as lágrimas do filho.

Já vi meninos e meninas chorando intensamente pela morte de um cachorro que foi atropelado; outros, por causa de um tênis que sumiu; e outros, por causa de uma pipa que escapou da linha e foi levada pelo vento.

Como os pais devem reagir diante das lágrimas do filho que chora por algo que, na concepção do adulto, pode ser "banal"? Nunca obrigue os seus filhos a reprimirem as suas emoções, fazendo-os "engolir" o choro. Jamais menospreze os seus sentimentos.

Desqualificar as emoções de um filho pode provocar um trauma, fazendo com que ele se feche e nunca mais demonstre seus sentimentos. Essa é uma das causas por que muitos adultos têm dificuldade de expressar emoções. Você respeita os sentimentos do seu filho?

Quando a minha filha, Letícia, tinha 14 anos, ela me disse: "Pai, eu gosto de um jovem membro da igreja, e ele quer vir falar com o senhor." Como pai, eu nunca havia passado por aquela experiência, até porque, além dela, só tenho dois filhos homens.

Eu poderia ter reagido assim: "Você não tem o que fazer? Será que você não percebe que ainda é uma criança? Que ainda está com gosto de leite materno na boca? Já que é assim, eu não quero vê-la conversando com esse rapaz em lugar nenhum, porque se eu pegá-los, vou arrebentar os dois. E saia daqui. Você estragou o meu dia."

Pais que reagem dessa maneira quase sempre "perdem" a filha, provocando a ira e gerando no coração dela um tipo de raiz de amargura. Lembre-se: respeito gera respeito. Apesar de achar muito estranho o que estava acontecendo, pois eu pensava que minha filha iria se preocupar com isso só depois de se formar na faculdade, e diante de tudo o que ouvi, pedi à Letícia que se sentasse. Fechei a porta do escritório e passei para ela todas as lições de um seminário que eu ministro para os adolescentes nas igrejas.

Depois de mostrar para ela que não era interessante envolver-se em um namoro sendo ainda tão nova, que aquele era um tempo para ser investido nos estudos e para construir bons relacionamentos, pensei: "Acho que consegui convencê-la a mudar de ideia." Mas quando terminei, ela olhou para mim com os olhos lacrimejando e disse: "Pai, ele pode vir falar com o senhor hoje à tarde?"

A verdade é que, quando uma adolescente está apaixonada, ela não consegue pensar em outra coisa a não ser no "amor-paixão".

A verdade é que, quando uma adolescente está apaixonada, ela não consegue pensar em outra coisa a não ser no "amor--paixão". Procurei lidar com aquela situação da forma mais sensata e prudente possível para que ninguém saísse machucado. Hoje minha filha tem 22 anos, não se casou com aquele jovem, dedica-se aos estudos, continua servindo a Jesus e tem a mim, seu pai, como seu grande amigo.

Respeitar as emoções do filho é fundamental para construir uma relação de confiança, a fim de que ele se abra para ouvir o que os pais precisam dizer. Nenhum filho ouve, de forma responsável, um pai que não sabe respeitar as suas emoções. Como você tem reagido às emoções do seu filho?

Internet: o perigo mora ao lado

Uma vida não supervisionada não é vivida com responsabilidade.

Vivemos na era da tecnologia, da informação rápida, da globalização, da pós-modernidade. A geração atual vive conectada com o mundo por meio da TV, do rádio, do celular e, principalmente, da internet. Temos de reconhecer que o avanço tecnológico tornou a nossa vida mais fácil do ponto de vista funcional, porém, trouxe-nos alguns malefícios. A internet hoje pode ser uma bênção ou um instrumento altamente perigoso, principalmente para os nossos filhos, dependendo de como eles estejam fazendo uso dela.

O Facebook tem se tornado o maior banco de dados para criminosos, ladrões, sequestradores, traficantes etc. As salas de bate-papo têm sido uma arapuca disponível a serviço de pedófilos e um laço para homens e mulheres praticarem o adultério virtual. Com frequência, recebo pedidos de ajuda de pessoas que, pela internet, envolveram-se em situações perigosas.

Os pais precisam estar atentos quanto ao uso da internet dentro e fora de casa. Algumas perguntas se impõem a nós, pais, quando tratamos desse tema: Por onde os nossos filhos estão "navegando"? Com quem eles estão conversando nas salas de bate-papo? Quais os sites que eles visitam com frequência?

Separar o que é bom daquilo que é nocivo e maligno é o nosso grande desafio de cada dia.

A internet conecta o jovem com um universo cuja dimensão não dá para imaginar. É um mundo que oferece literalmente de tudo. Por isso, separar o que é bom daquilo que é nocivo e maligno é o nosso grande desafio de cada dia. Há um livro que sempre recomendo às famílias: *Pais ausentes, filhos on-line*.

Ao concluir este assunto, quero deixar oito diretrizes aos pais sobre os filhos e o uso da internet:

1. Mantenha o computador em um lugar na casa onde todos possam ver o que está sendo visitado na internet.
2. Estabeleça um tempo limite para o seu filho ficar conectado. Se o tempo for, por exemplo, de uma hora por dia e duas no final de semana, seja firme na cobrança quanto ao limite imposto.
3. Procure ficar atento às pessoas com quem o seu filho está conversando nas salas de bate-papo.
4. Certifique-se de que o seu filho não esteja frequentando uma lan-house por causa da disciplina imposta em casa.
5. Ensine seu filho a *nunca* fornecer dados como nome, endereço e telefone para os "amiguinhos" virtuais. Afinal, nunca se sabe quem está do outro lado. Nesse mundo on-line há muita mentira.
6. Se você tem acesso aos e-mails do seu filho e desconfia de alguma coisa errada, procure ler as mensagens recebidas.
7. Quando os pais desconfiarem que o filho está tomando um caminho estranho por causa da internet, aconselho que seja instalado no computador um programa chamado "espião". Esse programa grava tudo o que é teclado no computador. Assim, os pais poderão saber o que realmente está acontecendo.
8. Fique sempre atento para ver se o seu filho não está acessando alguma sala de bate-papo gay, visitando sites pornográficos ou até mesmo interagindo com pessoas ligadas ao tráfico de drogas. Muitas crianças, muitos adolescentes

e jovens se perderam a partir de uma sala de bate-papo onde entraram apenas por curiosidade.

A Bíblia diz: "O homem de bom senso percebe os perigos que têm pela frente e se defende; as pessoas ingênuas avançam às cegas e sofrem as consequências" (Provérbios 27:12, BV). Sabemos que não podemos escolher ou decidir pelos nossos filhos, mas podemos mostrar a eles onde está o perigo, para que, desse modo, eles aprendam a fazer escolhas acertadas na vida. Nas palestras que ministro sempre digo aos pais: "Façam o melhor que puderem. Assim, vocês nunca vão chorar a dor da culpa ou do remorso."

A TV pode deformar em vez de transformar

"A TV pode ser a causa do fracasso de uma vida. E isso depende de como a usamos."

Todo excesso é prejudicial, e a TV não pode ser a "babá eletrônica" dos nossos filhos. A Bíblia diz que ainda que seja o mel um alimento tão nutritivo, se comermos demais, ele nos fará mal (ver Provérbios 25:27). Esse princípio também se aplica ao uso equilibrado da televisão.

Uma pergunta interessante foi feita para os americanos sobre o hábito de assistir à televisão. A pergunta era: "Se alguém lhe oferecesse um milhão de dólares para você deixar de assistir à TV pelo resto da sua vida, você aceitaria?" O resultado foi surpreendente: *um* em cada *quatro* entrevistados disse que não, tal o fascínio que a TV exerce sobre as crianças, os jovens e os adultos.

O comunicador social e professor de sexologia Márcio Ruiz Schiavo, coautor do estudo *Sobra TV ou falta família?*, fez uma pesquisa a partir de 441 questionários coletados na cidade do

Rio de Janeiro sobre a importância da supervisão adulta nos hábitos televisivos infantis e chegou às seguintes conclusões:

- Mais de 72% das crianças entrevistadas passam mais de três horas diárias na frente da TV.
- 87,1% dos pais assistem à TV regularmente com os filhos.
- 81,9% dos pais conversam frequentemente com os filhos a respeito dos programas a que eles assistem.
- 65,8% dos pais conversam com frequência com os filhos sobre os programas a que eles assistem quando o tema é sexualidade.
- 26,7% dos pais fazem restrições ou proíbem de maneira constante que os filhos assistam a algum programa.

O tempo que a maioria das famílias dedica à TV é surpreendente. Um estudo recente feito no mundo inteiro mostrou que, em média, as pessoas gastam um pouco mais de três horas por dia nessa atividade. Os norte-americanos gastam quatro horas e meia; e os japoneses, um pouco mais, cinco horas por dia.

Se uma pessoa gastar quatro horas por dia vendo TV, quando ela chegar aos sessenta anos terá passado dez anos em frente ao aparelho.

Vamos fazer uma conta básica. Se uma pessoa gastar quatro horas por dia vendo TV, quando ela chegar aos sessenta anos terá passado dez anos em frente ao aparelho. O que você acha de uma pessoa que passou um sexto da sua vida assistindo à televisão? Ela investiu ou desperdiçou o seu tempo?

Sete motivos para que as crianças não assistam à TV em excesso:

1. ***Interfere negativamente na educação e no desenvolvimento das crianças***

Infelizmente, a maioria dos programas está fundamentada em falsos valores e voltada apenas para satisfazer aos apelos primários da audiência, independentemente se isso vai promover tudo aquilo que é nocivo aos nossos filhos.

2. ***Prejudica o relacionamento com os pais***

Quanto mais os filhos assistem à televisão, menos tempo eles passam com os pais. Eis a razão pela qual em muitas famílias a distância entre pais e filhos é preocupante. A TV, com seus programas apelativos, vai cavando uma "vala" que separa cada vez mais os pais dos filhos.

3. ***Compromete a formação do caráter***

Somos o resultado daquilo que pensamos, vemos e ouvimos. A influência que os programas de TV exercem tem o poder de moldar a forma de pensar e de agir das pessoas. O professor Márcio Schiavo afirma:

> As crianças que estão mais expostas à TV tendem a reproduzir atividades e práticas presentes na programação assistida, principalmente quando a personagem é uma criança ou a situação vivenciada aproxima-se de suas próprias experiências de vida. Cenas eróticas, relações de gênero ou situações de violência são muito prevalecentes nos programas assistidos pelo público infantojuvenil. Uma das consequências mais vi-

síveis é a aceleração de algumas vivências, sem que tenha havido um amadurecimento para tal. Por exemplo: é comum crianças ou adolescentes "ficarem", imitando um comportamento visto na tela.

O apresentador britânico David Frost disse: "A TV é uma invenção que permite que você se divirta na sua sala com pessoas que não convidaria para entrar na sua casa."

4. *Interfere no processo de socialização*

A vida é feita de relacionamentos, e o excesso de TV pode levar a criança, o adolescente e o jovem ao isolamento. Isso porque o seu mundo deixa de ser o real e passa a ser o virtual. Quando um adolescente se torna escravo da TV, ele abre mão da convivência social com os pais, com os irmãos e com os amigos. Isso acaba por prejudicá-lo psicológica, espiritual e fisicamente.

5. *Leva à perda da sensibilidade*

Quando uma pessoa fica durante muito tempo exposta a cenas de violência, a sua alma vai aos poucos sendo anestesiada e o seu coração vai se "petrificando". Essa é uma das razões que explicam o fato de vivermos em uma sociedade em que a maioria das pessoas não se importa mais com a dor do próximo.

6. *É uma das causas da obesidade*

Pesquisas mostram que há uma ligação entre *obesidade* e *excesso de TV*. No entanto, não podemos generalizar, dizendo que todas as pessoas obesas passam muito tempo sentadas assistindo à TV. Contudo, é inegável que almoçar ou jantar e depois passar horas diante do aparelho todos os dias contribui significativamente para que a pessoa se torne obesa.

Quase todos os programas de TV têm um apelo sexual explícito ou implícito.

7. Estimula o desejo sexual precocemente

Quase todos os programas de TV têm um apelo sexual explícito ou implícito — podem ser programas de auditório, telenovelas, comerciais, programas de humor ou de entrevistas. Isso faz com que os nossos filhos sejam bombardeados com mensagens que provocam, despertam ou aguçam o desejo sexual. As crianças são atingidas, os adolescentes são estimulados, os jovens são ensinados a praticar hoje o que deveria ser preservado para o tempo da maturidade no contexto seguro do casamento.

Sete maneiras para os pais assumirem o controle

1. Limite o tempo que você gasta com a TV e seja o exemplo para os filhos

A Bíblia diz: "...o homem prudente vê bem onde pisa" (Provérbios 14:15). Não pode haver incoerência entre o que você ensina e as suas ações. Aquilo que não serve para os seus filhos não deve servir para você.

2. *Limite o tempo que a sua família gasta com a TV*

O escritor Stephen R. Covey, em seu livro *Os sete hábitos das pessoas altamente eficazes*, conta que "diante desse desafio para a família, em relação ao tempo que se passa na frente da TV, resolveram reduzir esse tempo para sete horas por semana. Isso significa que a família tinha uma hora por dia para assistir à TV". Achei essa sugestão muito interessante. A família que praticar essa disciplina com certeza estará ganhando, e muito.

3. *Tente passar um dia por semana sem assistir à TV e uma semana por mês*

Talvez você esteja pensando: "Apenas um dia por semana é muito pouco, mais do que isso é o tempo de duração de uma partida de futebol." Mas saiba que essa disciplina já fará toda a diferença em sua família. Uma maneira de reduzir o tempo gasto com a TV é retirá-la do quarto das crianças e do quarto do casal. Isso pode ajudar nos limites impostos. As crianças que têm TV no quarto assistem a uma hora e meia a mais de programas por dia do que aquelas que não têm, aponta uma pesquisa.

4. *Programe o que a família vai assistir na TV*

É claro que há bons programas à disposição na televisão. Seria interessante se os pais verificassem, antecipadamente, qual é a programação do dia e selecionasse os programas que os filhos desejam ver e quais seriam mais educativos e agradáveis para todos.

5. *Selecione com critério o que pode e o que não pode ser assistido pelas crianças*

Os limites só funcionam quando os pais são firmes na aplicação da disciplina, ou seja, quando as regras impostas não são quebradas ou desrespeitadas.

Você já observou como em algumas novelas e filmes o "sagrado" é ridicularizado?

6. *Reflita com os seus filhos sobre as orientações bíblicas aplicáveis ao que deveríamos assistir na TV*

Você já observou como em algumas novelas e filmes o "sagrado" é ridicularizado? Quanto tempo passamos dando ouvidos aos sábios na TV e quanto tempo precioso perdemos ouvindo os tolos na televisão?

A Bíblia foi escrita num tempo em que não existia televisão, mas nem por isso ela deixa de trazer orientações que se aplicam a esse hábito tão comum em nossos dias. Convide os seus filhos a uma reflexão sobre o tempo passado em frente à TV e o conteúdo que ela veicula diante do que dizem as Escrituras. Veja alguns versículos que podem ajudá-lo nessa atividade:

> Felizes são aqueles que não se deixam levar pelos conselhos dos maus, que não seguem o exemplo dos que não querem saber de Deus e que não se juntam com os que zombam de tudo o que é sagrado! Pelo contrário, o prazer

deles está na lei do Senhor, e nessa lei eles meditam dia e noite. Essas pessoas são como árvores que crescem na beira de um riacho; elas dão frutas no tempo certo, e as suas folhas não murcham. Assim também tudo o que essas pessoas fazem dá certo.

Salmos 1:1-3, NTLH

Não se deixem enganar: "as más companhias corrompem os bons costumes."

1Coríntios 15:33

Meus irmãos, encham a mente de vocês com tudo o que é bom e merece elogios, isto é, tudo o que é verdadeiro, digno, correto, puro, agradável e decente.

Filipenses 4:8, NTLH

Repudiarei todo mal. Odeio a conduta dos infiéis; jamais me dominará.

Salmos101:3

Ai dos que chamam ao mal bem e ao bem, mal, que fazem das trevas luz e da luz, trevas, do amargo, doce e do doce, amargo.

Isaías 5:20

Aquele que anda com os sábios será cada vez mais sábio, mas o companheiro dos tolos acabará mal.

Provérbios 13:20

A televisão não pode roubar esses preciosos momentos de convivência familiar.

7. *Não permita que seus filhos façam as refeições em frente à televisão*

Na nossa casa não permitimos que os nossos filhos almocem ou jantem com o prato nas mãos diante da TV. A mesa deve ser um "lugar sagrado" para a família, pois é um momento de encontro, de diálogo, de comunhão, de compartilhar sobre a vida, sobre os momentos marcantes para cada membro da família. A televisão não pode roubar esses preciosos momentos de convivência familiar.

Quando os pais levam a sério o uso da TV e a sua influência sobre a vida dos filhos, procurando, assim, impor limites, a qualidade de vida familiar cresce e o ambiente se torna menos tóxico e mais nutridor.

Pais e responsáveis, Deus nos ama e também ama os nossos filhos. Ele disponibilizou tudo o que é necessário para que façamos um bom trabalho, para que sejamos mais parecidos com Jesus a cada dia e para que moldemos tal imagem nos nossos filhos. Ao nos dedicarmos a essa tarefa, transportamos o céu para a nossa casa e fazemos com que a mensagem de Jesus se multiplique pela terra e o nome de Deus seja glorificado. Sejamos fortes e tenhamos sempre em mente:

Àquele que é capaz de fazer infinitamente mais do que tudo o que pedimos ou pensamos, de acordo com o seu poder que atua em nós, a ele seja a glória na igreja e em Cristo Jesus, por todas as gerações, para todo o sempre! Amém!

Efésios 3:20-21

Para colocar em prática todas as lições aprendidas até aqui, você vai precisar do auxílio poderoso do Espírito Santo de Deus. Nas páginas seguintes, concluímos este livro demonstrando como o Conselheiro enviado por Deus garante a vitória para a família que deseja construir o céu em casa.

Conclusão

Conte com o Espírito Santo

ELE É A ESPERANÇA DE REDENÇÃO E VITÓRIA PARA TODA FAMÍLIA

O Espírito nos ajuda em nossa fraqueza, pois não sabemos como orar, mas o próprio Espírito intercede por nós com gemidos inexprimíveis. E aquele que sonda os corações conhece a intenção do Espírito, porque o Espírito intercede pelos santos de acordo com a vontade de Deus.

Romanos 8:26-27

A vontade de Deus é plenamente realizada no céu, e, como sabemos, ela é perfeita, sempre bondosa e prazerosa. O amor é a essência das relações celestiais, e isso significa que não devemos nos contentar com menos que isso para a nossa vida. A nossa casa também pode ser o lugar em que a vontade de Deus se manifesta e o amor reina. Todos nós somos capazes de aprender a amar de um modo inteligente, flexível e humilde.

Quando valorizamos a aprovação de Deus, que se manifesta por meio da aprovação dos pais, dos sacerdotes e até dos juízes, atraímos o favor e a bênção do alto. Se por algum motivo você deixou de contar com essas aprovações no decorrer da sua caminhada, saiba que ainda é possível (e necessário) fazê-lo. Portanto, não demore a buscá-las, pois esse é um importante passo para a felicidade no casamento.

Ainda não se casou legalmente? Procure um cartório e oficialize sua união conjugal. Não houve a bênção dos pais? Vá até eles, peça perdão e busque a aprovação deles. Faça as pazes. É possível que eles já tenham morrido; nesse caso, faça uma oração a Deus, peça perdão e solicite ao pastor que, como pai espiritual, ore e abençoe o seu casamento. Vale sempre buscar a bênção do sacerdote da igreja, bastando para isso conversar, cumprir possíveis solicitações do ministro e receber uma oração abençoadora.

Diante da questão: "ser feliz ou ter razão?", decida ser feliz.

Valorize o favor de Deus e valorize um amor inteligente. Diante da questão: "ser feliz ou ter razão?", decida ser feliz. Dê prioridade às questões que de fato merecem ser abordadas e resolvidas. Por outro lado, não leve tão a sério pequenas diferenças existentes entre você e o seu cônjuge. Elas podem ser toleradas sem nenhum prejuízo, a não ser do nosso orgulho bobo.

A chave para um relacionamento celestial em casa é o amor. Se há gritos, significa que o respeito já foi enterrado junto da inteligência e o lar ficou bem longe da nossa referência, que é o céu. Considere o outro superior a você, espere com paciência, deseje o melhor para ele, seja gentil e sempre leal não somente ao seu cônjuge, mas também aos pais dele e, por que não dizer, seja leal às tradições dos antepassados.

Crie as suas próprias tradições também: tire férias, descanse semanalmente, faça as refeições à mesa, crie o hábito de orar antes das refeições e ao se deitar. Procure ter um momento especial de devoção logo pela manhã. Outro bom hábito é realizar um culto doméstico uma vez por semana.

Dê atenção máxima ao culto semanal da sua igreja. Algumas se reúnem aos domingos, outras aos sábados, mas, seja qual for o caso da sua comunidade de fé, o importante é fazer desse momento uma tradição maravilhosa de adoração a Deus juntamente com toda a família.

Sempre haverá preferências e discordâncias no seio familiar, mas, com conversas abertas sobre as questões e dificuldades que surgirem, é possível chegar a acordos que deixem todos os membros da família satisfeitos. Precisamos respeitar os limites e também saber impô-los. Vimos que no céu eles são perfeitamente observados e, se queremos as bênçãos do alto, precisamos considerar a individualidade do outro.

A intimidade e a autonomia da sua família devem ser preservadas a todo custo.

Dizer não a prioridades inferiores é fundamental para o correto estabelecimento de fronteiras pessoais e familiares. Nunca permita que outros, a não ser a própria família e, claro, o Senhor, definam a sua agenda e os seus compromissos. A intimidade e a autonomia da sua família devem ser preservadas a todo custo. Não permita que elas fiquem comprometidas pela ausência de limites.

A chave para ser bem-sucedido nessa área é confiar no Senhor e não temer os homens. *Lembre-se:* "Quem teme ao homem cai em armadilhas, mas quem confia no SENHOR está seguro" (Provérbios 29:25).

O maior inimigo de um ambiente agradável e de uma família próspera é a acomodação. Temos a indesejável tendência de estacionar. Se você está lendo este livro e chegou até aqui, é sinal de que está lutando contra isso e de que deseja alterar aquilo que está fora de rumo. Saiba que esse desejo de mudar é, por si só, uma prova de amor. Se o seu cônjuge, o seu filho ou os seus parentes estão desejosos de mudança, anime-os e aposte neles, mesmo que venham a cair e errem muitas vezes ainda. Você não é diferente deles: também fraqueja, desanima e tropeça.

Somos assim. Embora não mais escravos do pecado, ainda falhamos. Por isso precisamos redobrar os esforços no sentido de vigiar para não entrar em tentação (Mateus 6:13). Resistimos ao diabo (Tiago 4:7), mas fugimos das tentações da carne (1Coríntios 6:18). Como José do Egito, tomaremos a decisão de não pecar contra o nosso próximo nem contra Deus (Gênesis 39:9).

Prestar contas a um irmão mais velho, não ter segredos para com o cônjuge e levar uma vida de disciplina e oração constantes são poderosas armas para que consigamos amar de modo vigilante. Desse modo, quando a tentação se apresentar, ela sempre será vencida.

São diversas as armadilhas da tentação, e a soberba costuma ser a propulsora de todas as mazelas e todos os pecados. Quando somos dominados pela soberba e pelo orgulho, tendemos a não valorizar os nossos amados, que, com justa razão, sentem-se desanimados e desmotivados.

Devemos ser como Deus, que valoriza e reconhece as virtudes da sabedoria. A Bíblia nos ensina como deve ser tratada a esposa: elogiada, honrada em público e na intimidade da casa. Também devemos nos empenhar em criar os nossos filhos segundo os padrões divinos. Isso tudo ajuda a fazer com que experimentemos as delícias do céu em casa.

Todos estes princípios são poderosos e infalíveis, mas podem levá-lo a ficar desanimado e a pensar que não é possível “fazer tudo de uma vez”. Queremos deixá-lo consciente de que o mais importante não é quanto você se dedica, ou quantas vezes você vai ler novamente para tentar de novo e de novo. A perseverança é importante, mas queremos apontar aqui que, acima de tudo, você pode contar com o próprio Gerente do Céu, com o próprio Idealizador do Paraíso para instruí-lo.

A maior bênção do céu é uma palavra. Não somente uma palavra escrita, mas uma palavra falada, o verbo encarnado, cujo nome é Jesus. Ele é a materialização do próprio Deus (ver Hebreus 1:3), que encarnou na pessoa de seu Filho para se revelar e nos aproximar do Criador. A obra dele foi completa, pois não somente morreu no nosso lugar para nos livrar da condenação dos pecados, mas também enviou o seu Espírito Santo para nós, logo depois de ter ressuscitado dos mortos. Este Espírito é a nossa esperança de redenção e de vitória.

A ação do Espírito Santo

Imagine que você queira aprender a jogar futebol. Você compra uma bola, calçados apropriados e vai jogar com os amigos. Depois de algum tempo, se você for como eu, descobre que tem muita dificuldade em usar os pés para tocar e chutar a bola. Perseverante que é, você compra livros sobre o esporte, conhece as regras, descobre biografias de grandes jogadores do passado e passa a ver tudo a respeito do esporte nos meios de comunicação.

Mesmo assim, quando você entra em campo, descobre que está um pouco melhor, mas ainda muito, muito distante de jogar como um profissional e mais distante ainda de ser um craque da bola. Isso mesmo, você não desiste e contrata um *personal trainer* para que ele o ensine os fundamentos do futebol. Meses e meses se passam, com dedicação e treinos constantes. Você já consegue jogar, mas tem a certeza de que nunca será um profissional ou um craque.

É então que você descobre uma fórmula mágica (aqui entramos no campo da ficção), que, uma vez ingerida, permite que um jogador famoso entre em você, assuma o controle do seu corpo, jogue por você e jogue em você.

Pela primeira vez na vida, o seu desempenho é extraordinário, tão fantástico que quem o vê jogar fica completamente extasiado. A visão de campo, a precisão dos passes, as jogadas geniais, as arrancadas perfeitas e a finalização implacável só executada pelas grandes estrelas do futebol agora são armas ao seus alcance.

Você se tornou um craque, mas sabe que não é bem você. Sabe que precisa de outro e que aquelas jogadas incríveis, embora tenham saído dos seus pés, foram executadas por um verdadeiro craque, que está usando você. Assim também acontece conosco.

Depois de nos depararmos com os padrões do céu, com as exigências de Deus, nos esforçamos e experimentamos muitas mudanças positivas, mas sabemos que ainda há muito por fazer e que nosso progresso é muito lento.

Podemos nos sentir desanimados, mas não podemos desistir.

Podemos nos sentir desanimados, mas não podemos desistir. O que fazemos então, depois de descobrir que não temos a capacidade natural de amar como Deus pede? Compramos livros e DVDs recomendados pelo pastor, lemos a biografia de grandes homens de Deus do passado, estudamos os textos bíblicos, decoramos os versículos correspondentes, mas descobrirmos que ainda não é suficiente. Continuamos limitados em nossa capacidade de amar e vencer.

Passamos para a contratação do *personal trainer* e conseguimos um tutor, um irmão mais velho que nos orienta, e perseveramos ainda mais nas práticas da fé, mas ainda estamos muito aquém do que é necessário. É então que partimos para a "fórmula mágica".

Quem precisa "jogar", ou agir, em nós é o Espírito Santo de Deus. Ele já habita em nós, se somos cristãos e nascemos de novo. Dentro de mim e de você habita o mesmo Espírito que trabalhou na realização da Criação e que ressuscitou a Jesus dos mortos. Como fazer para que ele entre em ação?

> Se o Espírito daquele que ressuscitou Jesus dentre os mortos habita em vocês, aquele que ressuscitou a Cristo dentre os mortos também dará vida a seus corpos mortais, por meio do seu Espírito, que habita em vocês.
>
> Romanos 8:11

No arrependimento diário, sua alma é crucificada, você mata a si mesmo e torna-se dependente de Deus. Com isso, precisa pôr e declarar com todas as suas forças a sua completa incapacidade de obedecer sozinho. Então, você pede perdão pelo egoísmo e pelo orgulho que se prendem à sua vida como uma praga, e o resultado é que, depois desse período, Deus assume o controle, e a ressurreição e a vida de Cristo se manifestam realizando o impossível para nós humanos.

O Espírito Santo que nos foi enviado é poderoso para produzir em você o seu fruto.

Você crê, então, que o Espírito Santo que nos foi enviado é poderoso para produzir em você o seu fruto e pode afirmar como o apóstolo Paulo: "Assim, já não sou eu quem vive, mas Cristo vive em mim" (Gálatas 2.20).

A partir daí, não somente os princípios do céu, mas também o próprio Deus passa a viver em você e o resultado é extraordinário. Você pensa no próximo antes de pensar em si mesmo. Você se alegra ao ver a prosperidade dos outros. Você ensina quem está ao seu lado, não somente com palavras, mas também com vida. Você sente uma alegria indizível, e torna-se fácil obedecer a Deus e às sábias instruções que ele nos deixou. A bênção e o milagre se espalham por todos os lados e, quando isso acontece, o céu chegou à sua casa.

Referências bibliográficas

AZEVEDO, Ivan Lima de. *Pais ausentes, filhos online*. Bragança Paulista, SP: Mensagem para Todos.

COVEY, Stephen. *Os sete hábitos das famílias altamente eficazes*. Rio de Janeiro: BestSeller, 1997.

________________. *Os sete hábitos das pessoas altamente eficazes*. Rio de Janeiro: BestSeller, 2005.

GRINBERG, Abrahão e Bertha. *Sogras e noras aprendendo a conviver*. Rio de Janeiro: Rosa dos Tempos/Record, 1993.

DOBSON, James. *Ouse disciplinar*. São Paulo: Vida, 1995.

GRÜN, Anselm; ROBBEN, Ramona. *Estabelecer limites, respeitar limites*. Petrópolis: Vozes, 2005.

KELLY, Matthew. *Os sete níveis da intimidade*. Rio de Janeiro: Sextante, 2007.

LUFT, Lya. *Perdas e ganhos*. Rio de Janeiro: Record, 2003.

MCDOWELL, Josh. *Construindo uma nova imagem pessoal*. Candeia, 1986.

PARROTT, Les e Leslie. *Quando coisas ruins acontecem a bons casamentos*. São Paulo: Vida, 2002.

URBAN, Hal. *As grandes lições da vida*. Rio de Janeiro: Sextante, 2004.

Este livro foi composto em IowanOldSt BT
10.5/14.5 e impresso pela Umlivro sobre
papel pólen natural 80g/m² para a
Thomas Nelson Brasil.